石川 冬樹

これからの「ソフトウェアづくり」との向き合い方

丸善ライブラリー

はじめに

今やソフトウェアは社会の至るところにおいて重要な役割を果たしており、仕事や勉強をしていても、あるいは私生活においても、様々なソフトウェアに頼ることになるでしょう。

ソフトウェアを構築し、その品質を検査、保証して、継続的に運用し続けるには、もちろん専門のエンジニアの知識・技術が必要です。一方で、「そのソフトウェアが何をすべきか」を決めて、企画や発注、十分性判断等を行うのは、製造業、金融業、運輸業、病院、大学、それぞれの組織・ビジネスの専門家になります。皆さんも、仕事のために、あるいは自身のために、「ソフトウェアづくり」に深く関わることになるかもしれません。

こういった企画や発注、利用を行う方々は、必ずしもプログラミングやソフトウェア開発を専門としていないかもしれません。しかし、すごいソフトウェアやそれを送り出すための技術やプロセスを「魔法」と思ってしまうと、何ができないのか、何が難しいのか、だから何に注意すべきなのかといったことを実感できません。この点は、本書執筆時に大きく注目されている AI（人工知能）について特に重要なことです。

本書は、幅広い読者がソフトウェアづくりにおける考え方を知ることを目的としています。ソフトウェア工学と呼ばれる学問にて整理されてきた、ソフトウェアの開発、品質保証、運用のための活動やその際の原則を概観します。ソフトウェアづくりは、AI（人工知能）と呼ばれる種類のソフトウェアの活用が広がったことで大きく変わっています。本書ではこの変化も解説し、これからのソフトウェアづくりへの関わり方を議論していきます。

目　次

第1章　ソフトウェア工学

Section 1.1 ソフトウェアはどこにでも

現在の社会においてはあらゆるところでソフトウェアが大きな役割を果たしています。朝スマートフォンのアラームで目を覚ます、このアラームの制御はソフトウェアが行っています。駅に行けば、IC カードが持つ定期券情報や残額情報を読み出しゲートを開くという改札の動きをソフトウェアが制御しています。駅の発車案内板に何を表示するかはソフトウェアが制御していますし、プラットフォームの開閉制御にもソフトウェアが関わっているでしょう。電車の運転自体もソフトウェアが全自動で、あるいは緊急ブレーキなどに限って行っていることもあり得ます。到着した先の会社では、勤務時間管理や給与、通勤手当の管理が、あるいは大学での履修登録や休講通知が、ソフトウェアを通して管理されています。

このように我々は普段の生活で、意識的に、あるいは意識せずに、様々なソフトウェアシステムを利用しています。その裏には、それぞれのソフトウェアシステムを作る、ソフトウェアエンジニアあるいはシステムエンジニア、開発者などと呼ばれる立場の人たちがいます。もちろんそのような人たちは、ソフトウェアの仕組み、その中心となるプログラミング技術、効率的な開発の進め方、品質を担保するアプローチなどの専門知識を持っているでしょう。

それらエンジニア以外の人たちは、ソフトウェアの開発に関わることはないでしょうか？　例えば駅の発車案内板の表示を制御するソフトウェアにおいて、時間の経過や例外発生に応じた表示内容の切り替え方法を決めているのは誰でしょうか。事故や遅れが発生したときも含めて、駅員さんが必要な業務を効率よく適切に実施できるように、さらには不特定多数の乗客にとって便利であるように、発車案内板の表示制御を行う必要があります。ソフトウェアという実現手段を通して、業務のあり方をデザインしているとも言えます。プログラミングといった狭い範囲ではありませんが、鉄道会社の人たちも「ソフトウェアづくり」に大きく関わっています。

皆さんがこれから何か新しいビジネスや、組織・社会での活動を始めるときにも、そのアイディアを支えるために専用のソフトウェアが必要になるかもしれません。現代ならではの日本酒の新しい作り方を追及した醸造所を立ち上げてやろう、と思ったら、温度や水量の管理をソフトウェアで客観的に、緻密に制御することになるかもしれません。ある市で、特別な子育て支援として、複数の保育園を連携し送迎バスを共通化するとしたら、保育園や子供の情報を管理する専用のソフトウェアが必要になるかもしれません。ソフトウェア自体を仕事の対象、生業とするつもりがなくても、ビジネスや活動の一つの大きな軸としてソフトウェアを企画し発注するようなことが求められます。

そのような新しい、特別なことをしないとしても、電子マネー、行政サービス、企業における労務管理や支払い管理など、業務や生活をよりよくするために、ソフトウェアに対する改善の意見を利用者の立場から出していくこともあるでしょう。

以上のように、「ソフトウェアづくり」は、プログラミングという深いレベルではなくても、何かしらの形で誰もが関わる、社会における一つの基盤となってきています。本書では、このようなソフトウェアの開発について、どのような考え方で進められているのか、どのような点が難しいのか、エンジニアが行っていることを眺めてみます。ソフトウェア開発には、プログラミングにつながるような論理的パズルのような側面もありますが、ゴールや問題の整理術、さらには隣の席に座っている人との日々の協働術といったことも入ってきます。ソフトウェアに深く携わるという方も、そうでない方も、ソフトウェア工学という独特な学問領域を楽しんで学んでみていただければと思います。

Section 1.2 ソフトウェア工学

ソフトウェア工学という言葉は、NATOにおける科学会議において1968年に初めて用いられたと言われています。当時のコンピュータは、設置に専用の部屋が必要で、エラー音がビル全体に響き渡ったと言われるような巨大な機器でした。一方、今のスマートフォンとさえ比べものにならないほど、低速でわずかなデータに対する処理を行うものでした。それでもコンピュータをうまく活用するためのソフトウェアの重要性が1960年代にはどんどん高まっていました。逆に言うと、ソフトウェア開発のコスト増大や不具合の多発といった問題が注目されるようになってきました。ハードウェアはどんどん高性能化、低価格化していくにつれ、ソフトウェアにおけるコストや不具合の問題がさらに重大になるという強い懸念がありました。この懸念は「ソフトウェア危機」と呼ばれ、その議論において、機械工学や電気工学のように、ソフトウェアに対しても「工学」が必要だという主張がなされました。

工学とは何か、というのは難しい問いですが、広くは基礎科学を工業生産に応用し生産力を向上させるような方法論や技術を指すでしょう。同じように考えると、プログラムの開発効率や正しさに関する数学的な理論などのソフトウェア科学があり、それを応用につなげていくものがソフトウェア工学とも言えます。ただ実際には、ソフトウェア開発を支援するためには、ビジネスの分析、開発コストや期間の見積もり、エンジニア間の日々の協働の進め方など、幅広い活動に関する原則、知識、技術が必要になります。このためソフトウェア工学は、科学や基礎理論の活用というだけでなく、ソフトウェアに関するあらゆる側面を扱うものとしてとらえられています。

ある標準では、ソフトウェア工学を次のように定義しています。

> ソフトウェアの開発、運用、保守に対する、系統的で、規律がとれ、定量的なアプローチの適用

この定義では、「系統的で、規律がとれ、定量的な」という部分が、科学に基づいた工学ということだと示唆しています。そのようなアプローチにより、ソフトウェアをつくること（開発）だけでなく、日々適切に使い、動かし続けていくこと（運用、保守）まで含めていくと述べています。

ソフトウェア工学の範囲

「ソフトウェア工学」に関する先ほどの定義は、SWEBOK（スウェボック）と呼ばれる、ソフトウェア工学の知識体系から引用したものです。BOKというのは、"Body of Knowledge"の略で、知識体系を指します。ソフトウェア工学分野では、他にもプロジェクトマネジメントに関するPMBOKなど、BOKという形式で知識が整理されることがよくあります。このSWEBOKでは、ソフトウェア工学に関する知識が、15の項目に分けられ、300ページ以上のカタログのような形でまとめられています。例えば、15個ある項目の一つとして「何をするシステムを作るべきか」を分析し定めていく

「ソフトウェア要求」という項目があります。そのさらに内訳として、要求の抽出、要求の分析、要求の記述、要求の妥当性確認といった活動が挙げられており、それぞれに関する知識がまとめられています。

他の項目としては例えば、ソフトウェアの品質を評価するテスト、工数の見積もりやリスク管理を行うマネジメント、日々の活動の進め方を扱うプラクティスといった項目があります。プログラムを書いて動くソフトウェアを得るという活動は実は一部に過ぎず、経営学や社会科学までからんでくるような多様な話題が含まれています。

ソフトウェア工学に関わる人々

ソフトウェアの開発はほとんどの場合、専門的な知識・技術を持つエンジニアにより行われます。本書ではそのようなエンジニアが所属する組織を開発組織と呼びます。これに対し、ソフトウェアを含めたビジネスや組織・社会のあり方を検討、企画し、開発組織に開発を依頼・発注する、そして完成したソフトウェアを利用していく組織があります。ここまでに鉄道会社、醸造所といった例を挙げましたが、自動車会社、銀行、保険会社、大学、市役所などありとあらゆる組織においてソフトウェアの活用があるでしょう。このような立場の人たちのことを、エンジニアの視点からは顧客と呼びます。

開発組織と企画・発注・利用組織は、異なる会社であることも、同じ会社内の別部門であることもあります。鉄道や製造業といった会社が、ソフトウェア開発を専門とする企業に発注を行うこともあれば、自分たちでIT開発部門を設けることもあるということです。また、企画や発注を行う人たちと、利用を行う人たちもしばしば別の部門であることもあります。例えば大学の履修管理システムであれば、情報システム担当のような人たちが企画と発注を行いますが、実際の利用者は学生や教員、事務員になります。Webにおけるショッピングサービスや、市役所の証明書発行システムなどの場合、利用者は不特定多数となります。多様な形態がありますが、本書で一般論を述べるときは、詳細は気にせず、エンジニアと顧客、あるいは開発組織と企画・発注・利用組織というように呼んでいきます。

企画・発注・利用組織は、システムが扱うビジネスや組織の目的や活動を明確にすることで、システムが満たすべき固有の要求を明確にしていく役割を負います。組織内の多様な関係者（ステークホルダーと呼びます）の理解や合意を取り付けることも重要でしょう。これに対して開発組織は、IT技術の専門知識に基づいて、それらの要求を補いながらその実現を検討・追及していきます。

コラム：組織間の責任分担と対立

残念ながら、開発組織と、企画・発注・利用組織はときに対立関係のようになってしまうことがあります。企画・発注・利用組織は、自分たちの時間やお金をあまりかけずに、よいシステムを得て、問題があったならば（無料で）修正もしてほしいと思います。一方開発組織は、あいまいな要望や、ときには前に言っていたことと違うような要望があった場合など、限られた費用・時間においてすべて柔軟に応えられるわけではありません。

当然ながら、双方が責任を果たし協働することが重要ですが、それがうまくいかず、片方あるいは双方に不満が残るようなことがあります。最悪の場合、開発が際限なく遅れたり完了しなかったりして、裁判にまで至ってしまった事例もあります。

システム開発に関する裁判としてイメージしやすいのは、不具合や遅延が多く、さらにそれらへの対処が適切になされず、開発組織に失敗の責任があるという場合でしょう。有名なのは銀行システムの開発事例で、技術の選定や進め方に問題があったとして開発組織側に 40 億円以上の損害賠償が求められました。

しかし、失敗は企画・発注・利用組織の責任であるとされた事例もあります。病院情報管理システムの開発失敗を扱った裁判では、なんと、企画・発注・利用組織である大学に 100% の責任があるという判決が出ました。当初の一審判決では、開発組織側の責任も認めていたものが、高等裁判所での控訴審において大きく覆ったものとなります。この事例では、最初の仕様が定まった後に、現場の医師から意見が出て数百件の追加内容が出ました。この半年後にこれらの追加内容を踏まえた仕様について改めて合意・凍結がなされたものの、大学側からこの後も百件以上の要求追加が続いたとのことです。開発組織はこの要求追加がシステム稼動予定日を踏まえると難しいことなどを適切に説明したとされ、判決ではこのような経緯に対し、発注側の協力義務違反に対して 14 億円の損害賠償が求められました。

このように、ソフトウェアシステムの開発や活用には、IT を専門とするエンジニアだけでなく、企画者や発注者も大きな責任を負い、真摯に向かい合って協働を行っていく必要があります。

モデルの重要性

ソフトウェア工学において重要な概念は多数ありますが、一つ選ぶとしたならば「モデル」です。モデルという単語にはいろいろな意味がありますが、ここでは以下の意味を指します。

> 複雑なシステムやプロセスを単純化、抽象化し、注目する側面の分析や計算、説明、予測などを行いやすくしたもの

例えば天気予報においては、気圧の高さを等高線により示し、高気圧や低気圧のマークを付けた天気図を用います。これは、複雑な観測・予測データの中から要点を抜き出し、理解や説明が行いやすいようにしたモデルであるといえます。地下鉄の路線図も、典型的なモデルの一例です。駅の緯度経度、実際の位置といった情報は正確に反映せず、どの路線がどの駅とどの駅をつないでいるのか、どの駅で路線間の乗り換えができるのかという情報に特化して簡略化したモデルになっています。

ソフトウェア開発の場合、例えば、発注者や利用者がソフトウェアシステムにより何を達成したいのかを、表や図として記述、整理、分析したものは、要求モデルと呼びます。要求モデルを踏まえて、エンジニアがどのようなソフトウェア部品を用意し、それらがどのように接続されるかを表現したものは、システムモデルや設計モデルと呼ばれます。別の観点として、エンジニアが行う活動の順序や場合分けを記述したものは、プロセスモデルと呼びます。ソフトウェア開発においては、目に見えない、形のない概念的なものを多数扱うとともに、非常に複雑なものを扱うため、モデルとして特定の情報を表現、整理していく機会が非常に多くあります。

Section 1.3 ソフトウェアの難しさ

本書ではこれからソフトウェアの開発や運用、保守について解説していきますが、他の製品、例えば家電製品や機械製品と比べて、ソフトウェアがどうして難しいのか、いくつかの点を挙げてみます。

対象とするビジネスや活動の仕組みと連動する必要がある

家電製品や機械製品では多くの場合、製品を作る側が役に立ちそうな機能を考えてすべての利用者に対して製品ラインナップを送り出しています。これに対し、ソフトウェアが何をすべきか、ということは、企画・発注・利用組織が扱っているビジネスや活動の範囲（ドメインと呼びます）と密に関わります。店舗のレジシステムにおける消費税の計算方法や、会社の勤怠管理システムにおける残業の管理方法などは、すでに決められている法律に合わせる必要があります。さらに、同じ業界でも企業ごとに異なるビジネスルールや運用方式を定めていることもよくあります。

例えば、同じコンビニエンスストアでも、フランチャイズごとにポイントやクーポンの仕組みが異なり、それらに対応するように店舗のレジや利用者のアプリにおいて専用のソフトウェアを用いています。ポイントやクーポンの場合は、「旅先でもお店に来てもらうために、違う店舗を使ったら特典を与える」というように、ビジネスのデザインを行い、それに合わせてソフトウェアの振る舞いも決めていくことになるでしょう。企業において勤怠や休暇の情報を扱う労務管理システムや、大学で講義資料やレポートを扱う学習管理システムなどは、組織間で共通性が高いため一つのシステムを使うことができるかもしれません。しかしその場合でも、例えばある大学では、海外の連携大学の科目受講の仕組みがある、システムを中国語でも操作できるべき、というように、その大学固有の要求があり、共通システムを拡張していくようなことがあります。

「これから作るシステムが何をすべきか」を追及し決定するということは、本来非常に難しいことです。あるシステムがあって、使ってみたら文句がある、特定のレアな状況に遭遇したらシステムが対応しておらず不便である、といったことはしばしばあります。しかし、そういったことがないように、様々な状況を想定してそれぞれでシステムがうまく対応できるようにすることはとても難しいことです。このような網羅性の問題もありますが、そもそも「あなたは何をしてくれるシステムが欲しいですか？」という問いに対して、正確、明確にズバリと答えることは誰にとっても難しいでしょう。

さらに、このような追及には、企画・発注・利用組織と開発組織との間の密な協働が求められます。企画・発注・利用組織はやりたいことがたくさんあるにしても、それらの実現に関する可否やコストは、開発組織の専門知識に基づいて議論する必要があります。企画・発注・利用組織が「今まで人がやっていたことを、ソフトウェアシステムが自動で」と思うところ、開発組織が第三者の視点から、あるいは先端的なIT知識により、「そもそもこのように業務のあり方を変えるのがよい」といった提言ができるかもしれません。一方、開発組織だけでは、対象のビジネスや活動で本当に求められているものはもちろんわかりません。鉄道運行、大学の講義運営、消費税の計算、工場での温度管理など、開発組織が適当に想像で決めるわけにはいきません。

以上のように、「システムが何をすべきか」、そもそも「ビジネスや組織の活動がどうあるべきか」という問いの難しさがあります。これらの分析が不十分である結果、「使われないシステム」ができてしまったり、特定の状況ではシステムが対応できず人が手作業でやっていたりするといった問題がしばしば起こります。

変化に対応し続けることが求められる

前述の点とも関連し、ソフトウェアは社会の制度や人間の要求に合わせ続けていく必要があります。2019年度に軽減税率として、イートインとテイクアウトの場合で税率が変わる制度が導入されました。すると、店舗での会計を扱うソフトウェアシステムを更新する必要が生じます。あるいは、WindowsやiPhoneの新しいバージョンが出たので、それに対応するような更新が必要になることもあります。

家電製品や機械製品は、出荷後に何かを変更し続けることは難しいですが、多くのソフトウェアにおいてそれが可能です。ゆえに要求や動作環境の変化に対応し続けることが求められます。しかし変更は確かにソフトウェアでは「可能」であるものの、「簡単」ではありません。パズルのように、複雑な動作規則をうまく論理的に整合性ある形で定めることで正しい動作が得られていますので、「ここだけ変えればよい」という簡単な話では済まないことがあります。ある機能を変更することで、他の機能が動かなくなるという「デグレ」と呼ばれる問題がしばしば起きます。デグレという語は、劣化を意味する英単語 degradation から来ています。

細かい点が大きな影響を与え複雑さが増大する

今述べたように、ソフトウェアの動作は、複雑な動作規則をうまく整合性ある形で定めることで成立させています。ソフトウェアの規模が大きくなるにつれ、この整合性確保の難しさが爆発的に増大してきます。この点について、ソフトウェアでは詳細が重要な役割を持つということが言われています。ソフトウェアの場合は、非常に細かい部分の処理順序を一箇所変えるだけで、根本的に全く異なる結果になってしまったり、エラーで実行できなくなったりしてしまうことがあります。現在であれば、ソフトウェアは何十万行、あるいはそれ以上という規模のプログラムから構成されますが、その一行一行が全体に対して大きな影響を持つ可能性があり、ゆえに論理的な整合性を担保するこのは、非常に難しい問題です。

整合性がある形で変更を行うことが難しいのはもちろんですが、そもそも不具合がないようなソフトウェアを作る、あるいはそのために不具合を見つけられるようにする、ということも難しい課題です。プログラミングという作業において、不具合が全くないようなプログラムを書くことは実質的には不可能です。プログラムを構築した後のテスト工程により、不具合を検出し修正することは必要不可欠ですし、リリース後に不具合が発覚し修正することも多々あります。ソフトウェア開発では、いかに複雑さを低減できるか、そして複雑さに起因する様々なリスクと向き合っていけるかが重要になります。

コラム：銀の弾丸

1986年にフレデリック・ブルックスという著名なソフトウェア技術者が、ソフトウェアには本質的に避けられない複雑さがあるという議論を提起しました。つまり、様々な技術や知見で対処しようとしても、問題そのものが難しいという事実は変えられないということです。この点に関する彼の有名な言葉として、「銀の弾丸などない」というものがあります。つまりすべてを解決するような技術や知見はないということです。この言葉は今でも有名な言葉として、元々の文脈を離れ、ソフトウェア開発全般の難しさを論じる際に用いられています。

逆に、ソフトウェア開発における納期遅れやコストの増大、不具合の多発といった問題は非常に悩ましく、明確な正解がないような状況が多いので、どうしても「今とは違う、もっとうまいやり方があるのでは」という期待を持ってしまいがちだということでもあります。実はソフトウェア開発に対しては、ファッション業界のようだという批判があります。新しい方法論や技術が出ると皆でそれをもてはやしていくが、本当に深く根付いたり効果が出るようにうまく使いこなしたりするのは難しく、少し経つと「あのやり方はこういう点がよくなかった」と別の方法論や技術に興味が移っていくことがあります。

古くは、疫病は狼男や悪魔によりもたらされるものであり、その中でも狼男は銀の弾丸により封じ込めることができると考えられていました。しかし実際に疫病に対して効果的であったのは、地道な科学の努力、その一歩ずつの進展でした。ソフトウェア開発についても同じように、根気強く、科学に基づいた進展が必要ということでしょう。ブルックスは、本質的な複雑さと、技術や知見で解決できる偶発的な複雑さがあると述べました。流行廃りに流されがちだという問題はありますが、多様な技術や知見が積み重なり、「銀の弾丸」が述べられた1986年に比べるとソフトウェア開発の効率、安定性、信頼性は格段に上がっています。

Section
1.4 AIとのかかわり

2010年代後半においては、第3次AIブームと呼ばれるように、AI、すなわち人工知能技術の産業応用が盛んに進められるようになりました。AIは従来のソフトウェアとは異なる性質を持ちますが、あくまでエンジニアが構築するソフトウェアの一種です。2020年代には、AIに対するソフトウェア工学が一つの重要な方向性として認識され、盛んに取り組まれています。本書では、まず2章、3章において従来のソフトウェア工学における原則や知識、技術について解説し、4章以降においてAIに関する新しい潮流についても論じます。

第２章　ソフトウェア開発・運用のプロセスと技術

Section
2.1 開発・運用のプロセス：ソフトウェアが送り出されるまで

ソフトウェア開発のプロセスは、「抽象から具体への変換」として説明されることが多くあります。「システムを使ってこういうゴールを達成したい」という抽象的な記述から、多くの過程を経て、コンピュータ上での細かな処理が書かれた具体的なプログラムまで落とし込んでいくためです。

図 2.1 に典型的な開発プロセスを示します。まずはこれから作るシステムが何をすべきなのか、分析して定義する要求分析の工程があります。次に、要求として定義された機能や品質について、どのように実現すべきかを定める設計の工程があります。それらを経て、実際のプログラムを構築していく実装の工程に至ります。ここで開発プロセスは終わらず、得られた実装の品質を検査するテストの工程があり、これを経て初めて「プロダクト」あるいは「サービス」として納品やリリースがされることとなります。ただこれにてプロセスが終わるとは限らず、システムが適切に稼働し続けるようにハードウェアやネットワークなどの機器設定や監視を行い続ける運用の活動に入ります。また多くの場合、システムのリリース後にも、不具合への対応や機能更新などの保守と呼ばれる作業が続きます。

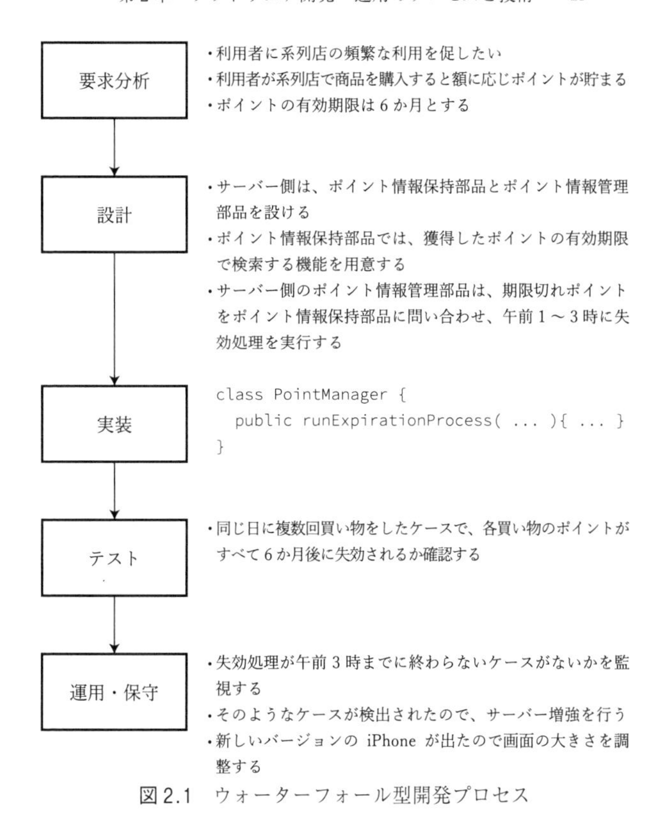

図 2.1　ウォーターフォール型開発プロセス

以上のような活動は、ウォーターフォールやV字（p.51で説明）といったプロセスモデルで表現されます。図2.1で示した開発プロセスは、ウォーターフォール型の開発プロセスを表したモデルです。図の右側には、チェーン店のポイント管理システムにおける各工程での成果物・活動の例を示しています。このプロセスでは、その名の通り「水が落ちる」ごとく、一方向に進んでいく、戻ることはないようなプロセスを表現しています。

ただし、実際の開発において、前の工程に戻ることが一切ないということはほとんどありません。抽象度が高い分析や議論では顕在化しなかった観点や問題が、具体的なことを詰めたときに現れることは避けられず、前工程に戻っての修正がしばしば生じます。とはいえ、このようにプロセスモデルを整理することで、活動の理解や管理が行いやすくなります。ウォーターフォールモデル以外のプロセスモデルについては後で紹介します。

コラム：ウォーターフォールモデルへの批判

2010 年度前後から、「ウォーターフォール」という言葉がややネガティブな意味で用いられることが出てきました。3 章で紹介するアジャイルソフトウェア開発の潮流を受け、「最初にすべてを計画する想定で、柔軟な変化を想定していない」ことが批判的にとらえられるようになりました。「アジャイルソフトウェア開発を採用していない」という意味で「うちはウォーターフォールです」と話すエンジニアの方が多いように思います。

しかし、「いきなり大きなプログラムを（複数人で分担して）書き始める」ことができるわけではないので、どんな開発プロセスでも、ウォーターフォールモデルが示すような抽象から具体への変換が含まれています。また、ウォーターフォールモデルが頭に入っているからこそ、そのアレンジを考えていくことができます。

なお、ウォーターフォールモデルは Winston W. Royce 氏の論文（1970 年）にて提唱されたという（誤った）記載を見ることがあります。しかしこの論文の中では、図 2.1 のような図に対し、「テスト工程を受けて設計を改善する」など「前に戻る」矢印が複数箇所に加わっています。ソフトウェア開発において手戻りを完全に避けることは難しい点はすでに考慮されていたのです。

Section

2.2 要求分析：何をするシステムを作るのか？

ソフトウェア要求

ソフトウェアシステムを構築するためには、そのシステムが何をするかに関する「要求」を定義しなければなりません。要求仕様書と呼ばれる文書です。発注組織と開発組織が異なる場合、それらの間の契約において主要な部分をなす内容となります。要求仕様においては、機能に関する要求、機能以外に関する要求（非機能要求と呼びます）の両方を定めることになります。

機能要求

機能に関する要求は、例えば「検索機能では、希望する旅行の日程と出発地・到着地を入力すると、予約可能

表 2.1　航空券検索のユースケース

ユースケース名：航空便を検索する

アクター	旅行者
目的	旅行者が予約可能な航空便やその価格を把握できるようにする
前提条件	なし
事後条件	旅行者が所望する航路・日程の航空便と利用可能な予約クラスをすべて把握でき、必要ならば予約に進むことができる
基本シーケンス	1　旅行者はシステムに検索を行いたい旨を伝える 2．システムは旅行者に対し出発地、到着地、出発日、到着日を入力するよう促す 3．旅行者はそれらの情報を入力する 4．システムは旅行者に利用可能な航空便とその予約クラスごとの価格を表示する
例外シーケンス	…（該当する便や座席がない場合）
シナリオ例	田中さんは 12/26 から 1/3 までハワイに旅行したいために…

な航空便とそれらの価格プランの一覧を表示する」というように、システムへの入力と出力の定義を含みます。より具体的には、表2.1のように、「台本」として目的達成のための一連の流れを定義することになります。このように、システムの利用者がその目的達成のためにシステムと相互作用する一連の流れを定義したものを「ユースケース」と呼びます。航空券予約システムでは、他にも、検索結果を受けた予約や、予約のキャンセルといった異なるユースケースがあるでしょう。また航空会社の管理者が、新しいフライトの情報を追加するといったユースケースもあるでしょう。ユースケースやそれらに関わる登場人物（アクターと呼びます）を洗い出すとともに、含まれる機能の入力や出力を定義することで、これから構築するシステムの要求を定義していきます。

非機能要求

非機能要求としては例えば、システムが応答するまでの時間が短いことや、システムの停止時間が短くいつでもシステムが使えることが挙げられます。セキュリティが高く不当な乗っ取り操作や個人情報漏洩が起きないこと、個人情報の収集や扱いが適切でありプライバシーに配慮があることなども挙げられます。さらに、システムの設計構造のような、利用者には見えない点に関する非機能要求もあり得ます。例えば、今までになかったような画面サイズを持つスマートフォンやタブレットが今後出てきたときに、新たな画面表示方法を追加するのが短期間・小さなコストで行えること、といった変更容易性に関する非機能要求もあるかもしれません。

ちなみに、ISO/IEC 25010 と呼ばれる標準では、システムの品質を論じる観点として、性能効率性、信頼性、保守性、セキュリティなど 8 種類が挙げられ、表 2.2 に示すように、それぞれがさらに数個ずつに細分化されています。これらの品質の観点あるいは側面のことを、品質特性、品質副特性と呼びます。例えば性能効率性であれば、応答時間のような時間的な性能と、データ容量のような空間的な性能にさらに分類されます。非機能要求として考えなければならない品質は多様なものが存在するのです。

表 2.2　品質特性の細分化の例

品質特性	品質副特性	評価指標の例
性能	時間性能	応答時間
	空間性能	最大受容データ量
信頼性	可用性	稼働率
…	…	…

ドメイン分析

要求を具体的に定めることを考えると、対象とするビジネスや組織に関する知識が必要になります。航空券予約システムの場合、航空会社ごとにビジネスクラスなどのシートクラスの設定は違いますし、キャンセル規定、座席指定や重量超過荷物の扱いも異なります。このように、要求の議論や定義のためには、そもそも対象とする問題領域（ドメインと呼びます）を理解する必要があります。特に、開発を行うエンジニアは、航空券予約など対象ドメインの専門家ではないことが多いため、概念や制約、ビジネスのルールやプロセスなどを明確に共有する必要があります。将来のあるべき姿（ToBe）を語るためには、現状（AsIs）を把握し、その課題を分析する必要もあります。

このため、要求分析の前に、ドメインに関する知識を分析、明示化するドメイン分析が行われることもあります。例えば、ビジネスルールなどの文書があればそれを読み込んだり、ドメイン専門家へのインタビューを行ったりします。より踏み込んだ手法としては、一緒にそのドメインの業務などの活動を体験するエスノグラフィー（元は文化人類学や社会学の手法）もあります。

要求の重要性

要求分析はシステムのあり方を定める重要な工程である一方、ビジネスや組織の根幹に踏み込むとともに、正確さや厳密さ、網羅性も求められる非常に難しい工程でもあります。要求に問題があったために、開発期間が延びてしまったり、できたシステムがあまり使われなかったりといったことが起きてしまいます。統計により割合は異なりますが、ソフトウェア開発プロジェクトの遅延やトラブルの少なくとも３割以上は、要求の問題に起因するとされています。

要求に関する問題としては、不整合、漏れやあいまいさによるものがあります。二つほど例を挙げてみます。

図書館の貸し出しシステムにおける以下の要求を考えてみましょう。

> 退会機能を実行すると、対象ユーザの情報を記録用システムに移し、貸し出しシステムからは削除して以後貸し出しシステムの機能を使えないようにする。

一見それらしく見えるかもしれません。しかしユーザが本を借りたまま退会機能を実行してしまうと、返却処理がシステム上でできなくなってしまいます。このため、「対象ユーザに貸し出し中の本があるときは、退会を受け付けない旨を表示する」という前提条件の検査と対応するエラー処理も必要です。これは論理的な整合性に関する問題の例です。

勤怠管理システムで、労働基準法や社内規定を遵守するため、二つの要求を定義したとします。

・ 出退勤時に時刻を記録できるようにする。
・残業時間を計算して適切な残業代を計算する。

これら自体に問題はないかもしれませんが、そもそもこれらの要求の上位目的を考えてみると、労働基準法や社内規定を遵守することがあるでしょう。すると、事前に申告が必要な残業や、規定時間を超え許されない残業をやってしまうことは防げていません。もしかしたら「次の残業時には事前にこの手続きが必要」という警告を出すような機能があってもよいかもしれません。どこまでシステムが責任をもつかという問題ではあるものの、上位目的に対しては、要求が漏れている・不十分であるとも言えます。もしもシステムの範囲外だと決めるとしても、少なくとも「残業時間の管理は個人がしなければならない」という、システムの使い方、運用に関するルールも同時に議論、定義する必要があります。これは、「本来やりたいこと」に対して「書き出した要求」が漏れているという問題です。

これらの例では、整合性や法律・規定といった、論理的で明確に定まった上位目標を考えています。しかし実際には、「こうしてくれた方がより便利」「この部分を人間がやるのが面倒」といった主観的、感覚的な問題により、要求が不十分でシステム利用の効果・効率が落ちてしまうこともあります。

なお、「顧客が本当に欲しかったもの」という有名な風刺画があります。様々なバージョンが描かれ、誰が最初に描いたのかわからないくらいになっていますので、ぜひ Web で画像検索してみてください。顧客（発注組織）が考えていたことと、開発組織の様々な立場の人たちが解釈・実現したことが大きくずれていることが示されています。さらに、実は顧客が最初に「これが欲しい」といったものが、「本当に欲しかったもの」と違うというオチもあります。皆さんも何かのソフトウェアを使ってみたら「これでは不便・困る」と感じることは多くあると思います。しかし「便利なもの・困らないもの」を事前に正確に言葉に出し、かつ過不足なく列挙する、ということはとても難しいのです。

要求分析の技術

ここまで要求分析の工程について紹介してきました。プログラミングとは異なる方向の活動だと感じたかもしれません。しかし、最終的なプログラムとして適切に実現できるように要求を正確、厳密に定義することが必要であるとともに、目的に合致していて網羅的であるべきという論理的な側面がある活動です。一方で、究極的には、ソフトウェア開発を通して価値創造および課題解決を行うのが目的であり、要求分析は多様な利害関係者が関わるビジネス・組織のあり方を定める創造的で組織的・社会的な側面もあります。

論理的な側面を扱う技術としては、ゴール指向要求分析と呼ばれるアプローチなど、要求の基となるゴールの階層構造や関係性を整理する手法があります。「システムが何をするか」を最終的に要求として定義するとしても、重要なのは「何のために」という上位目的です。図2.2にあるように、「ゴール1のためにサブゴール1-1、1-2、1-3が必要かつ十分」という構造を整理することで、勤怠管理システムに関する例のような漏れがないこ

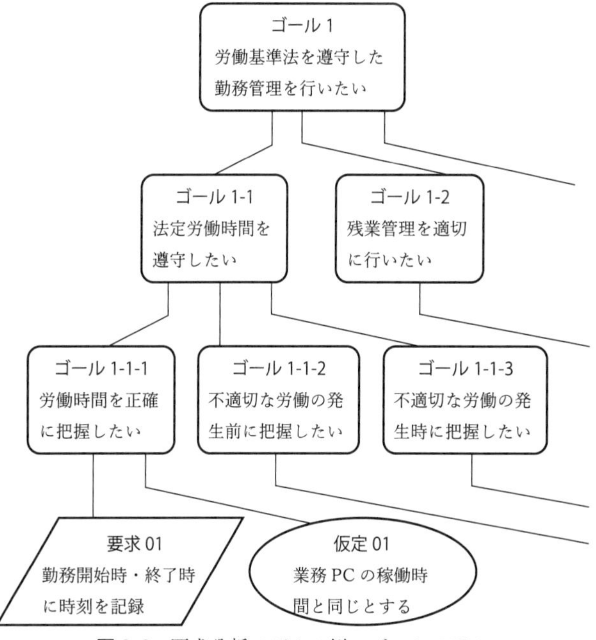

図2.2　要求分析モデルの例：ゴールモデル

とを確認しやすくなります。逆に、要求が100項目箇条書きでフラットに並んでいて「これで全部ですよね？」と言われても、誰も確認しようがないのです。

論理的な側面を扱う技術としては他にも、「こういう記法でこれらの点をすべて埋めるべき」ということが定まっている表形式や図形式で要求モデルを描くことで、決まっていないことがあればそれらがあぶり出されるようになります。図形式でのモデルについては、設計についての部分で述べます。

創造的な側面を扱う技術としては、いわゆる発想法と呼ばれるようなものがあります。新規のビジネスを創出するのと同じアプローチです。例えば、ゲームのようにルールを定めて参加者全員がアイディアを提示するようにしつつ、批判をせず自由にアイディアを発散させ膨らませるブレインストーミング手法があります。そのように上げられたアイディアをグループ化することで、カタマリへと収束させていくKJ法といった手法もあります。近年では、デザイナーの思考プロセスを参考にしたデザイン思考といったアプローチも現れています。ビジネス・組織においてそもそもどんなことをした方がよいのか、ソフトウェアシステムへの要求を定義する以前に検討していくような活動は、超上流要求分析とも呼ばれます。

とはいえ、「こういう技術を使うと必ずうまくいく」ということは、特に要求分析においてはあり得ません。様々な利害関係者が参加して意見を示すようにすること、そのための「巻き込み」の力、そしてソフトウェアの専門家と非専門家の間のコミュニケーションが非常に重要となります。

コラム：発想法

超上流要求分析においては、ビジネスや組織の問題に対しどのような解法で対処していくのかを根本から、創造的に検討することもあります。ビジネスや組織の現状をモデル化し、理解、整理する着実なアプローチだけでなく、「斬新で多様なアイディアを産み出す」ための手法を用いることもあります。

ブレインストーミングと呼ばれる手法では、とにかくたくさんアイディアを出す「発散」を目指します。例えば、「新しい傘」を考えるというお題であれば、「体に装着できて手が塞がらない」「風が強いときも横からの雨を防いでくれる」といったアイディアを出していきます。このときには、「一人ずつ順番に答える」、「すでにあるアイディアを見て別のアイディアにつなげる」というように、ゲーム形式で実施することにより、皆が考え発言することを促します。ここで重要なのは、くだらない、実現できないといった批判的なことは一切考えないし発言しないということです。とにかくアイディアの量を増やしていきます。この発散フェーズの手法としては他に、「大きくしてみよ」「裏返してみよ」などガイドとなる言葉を基にして多様な発想を促す手法もあります。

KJ法と呼ばれる手法では、このようにして集めたアイディアに対して、近いアイディアをカタマリとしてまとめていきます。先の発散フェーズに対して、収束フェーズと呼ばれます。似たアイディアをまとめることで、「持ちやすい傘」「災害時に役立つ傘」などのコンセプトを見いだしていきます。この作業では、「既存のカテゴリに当てはめる」のではなく、「新たなコンセプトを得られたアイディアから見つけ出す」ことを目指します。なお、KJ は発案者の川喜田二郎氏のイニシャルです。海外ではKJ 法という呼び名のほか、affinity diagram と呼ばれることもあります（affinity は類似や親和を指す語です）。

Section

2.3 設計：どうシステムを実現するのか？

ソフトウェアの設計

要求としてシステムが何をすべきか、どのような品質を満たすべきかが決まっても、いきなりプログラムを書き始めるとは限りません。小規模なシステムや、「とりあえず」試してみるような開発ならばそれでもよいかもしれません。大規模なシステムや、品質が重要となるシステムでは、「要求をどのように実現するか」に対する設計が非常に重要となります。

例えば、システムを部品にうまく分解しておけば、後で一部の部品だけ取り替えるようなことがしやすくなります。また大量のデータの検索や並び替えが素早くできるように、データの処理手順などを決めることも必要です。別の観点として、システムを複数の部品に分解してそれぞれの役割や部品間の接続方法をきちんと決めないと、複数人で分担して並行作業を行うことはできません。

プログラミングを勉強したことがある方であれば、モジュール化やカプセル化の考え方、アルゴリズムとデータ構造の考え方などを学んでいるかと思います。それらも設計の考え方となります。ただプログラミングの勉強においては、一個の部品内の処理手順だけを考えたり、高々三個程度などの部品のつながりを考えたりすることが多いかもしれません。ソフトウェアシステムの設計においてはより大きな視点での設計を考えることもあります。

このような設計には、システムの実現方式固有の知識やノウハウが必要となります。スマートフォンのアプリを作る際、自動車の制御ソフトウェアを作る際、それぞれ想定する実行環境が違いますし、求められる品質も異なるためです。

本書ではプログラミングや特定システムの話には深入りせず、大まかに設計の考え方の例を挙げてみます。

アーキテクチャ

ソフトウェア工学では、システムの構造をなす部品やそれらの関係性を定めたものをアーキテクチャと呼びます。アーキテクチャという言葉は建築で使われている言葉をソフトウェアの専門家が拝借したものです。バロックやロココといった建築様式をご存じかもしれませんが、この「建築様式」を指すのが英語でのアーキテクチャという単語です。しかし今日現在ではアーキテクチャという語をソフトウェアの文脈で用いる機会の方が多いかもしれません。またソフトウェア同様に、目に見えない概念的な構造をとらえたものとして、社会や組織の仕組みや構造を整理、設計していく際に、デジタルアーキテクチャやエンタープライズアーキテクチャといった言葉が使われます。

ソフトウェアシステムにおけるアーキテクチャは設計図と呼ぶこともできるでしょう。ただ、建築における設計図とはとらえている観点が異なります。建築のように、部品としての構造物の位置関係や大きさを考えるわけではなく、システムを構成する部品の責務（役割）や部品間の相互作用を明確にします。

図 2.3 は、航空券予約のユースケースについて、システム内部の構造や振る舞いを検討した初期設計モデルの例を示しています。この図では、画面に関する部品、処理に関する部品、データに関する部品の三種類が必要となることを意識しながら、航空券予約の機能を実現する処理手順を描いています。例えば、画面に関する部品と処理に関する部品を分けておくことで、「PC 版と iPhone 版」のように見た目だけを変える場合は、画面に関する部品だけ差し替えればよいようになっています。

今回は一つのユースケースについてのみ部品、つまり必要な機能を洗い出しました。これをすべてのユース

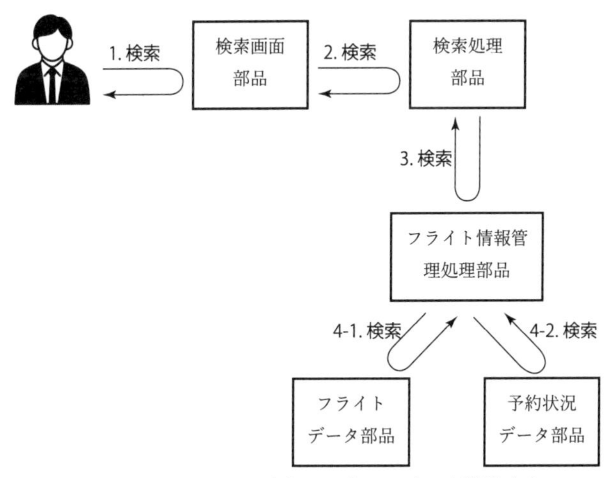

図2.3　ユースケースからアーキテクチャを議論する初期設計モデルの例

ケースについて行えば、システム内に必要なすべての部品が洗い出せます。なお、このように、画面、処理、データの三種類を意識してシステムの内部構造を検討する手法をロバストネス分析といいます。内部構造を考えることで、ユースケースの実現がより具体的なものとして意識され、ユースケースのあいまいさや不明確な部分が取り除かれるようになります。ただし今回の設計モデルは、「短い時間で応答を返す」など非機能要件を考えたものにはなっていません。あくまでユースケースから、具体的な設計を行うための橋渡しを行った段階になります。

デザインパターン

ソフトウェア開発においては、毎回異なる要求に対応していくものの、似たような問題が頻発することがあります。以前行った設計をそのまま使うことはできませんが、典型的な「設計の考え方」や「問題解決の仕方」を知識として持っていれば、それらを今回の問題に当てはめることで、問題を解決する設計を得ることができます。このように、「頻出する問題に対し答えを得るための考え方」をパターンと呼びます。設計に関するパターン、すなわちデザインパターンが最初に追及され、その後パターンという語が様々な種類の問題解決にあたって用いられるようになりました。

デザインパターンをはじめとしたパターンは、「自分たちが以前に問題解決した考え方」だけでなく、世界中のソフトウェアエンジニアが取り組んだ典型的な考え方を知識としてため込んだものを活用する考え方です。最も有名なのは、GoF パターンと呼ばれるデザインパターンで、23 種類のパターンから構成されています。なお、GoF というのは Gang of Four の略で、著名なソフトウェア専門家四名がまとめたことからこのように呼ばれています。

例えば、Twitter などの SNS において「自分がフォローしているアカウントがフォローしているアカウント」すべてに対して、名前を取得したり、最新の投稿内容を取得したりしたいかもしれません。他にもそれらア

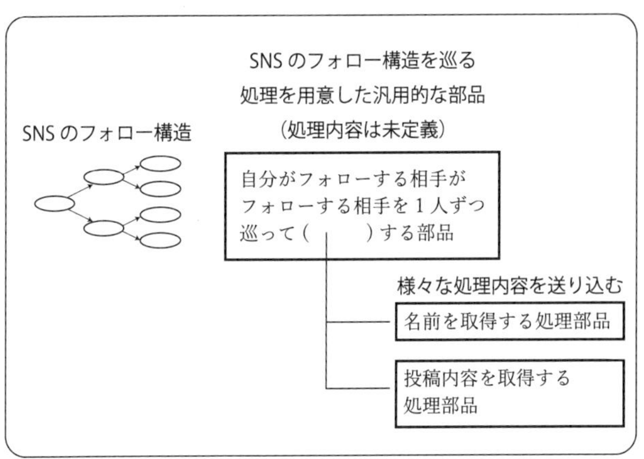

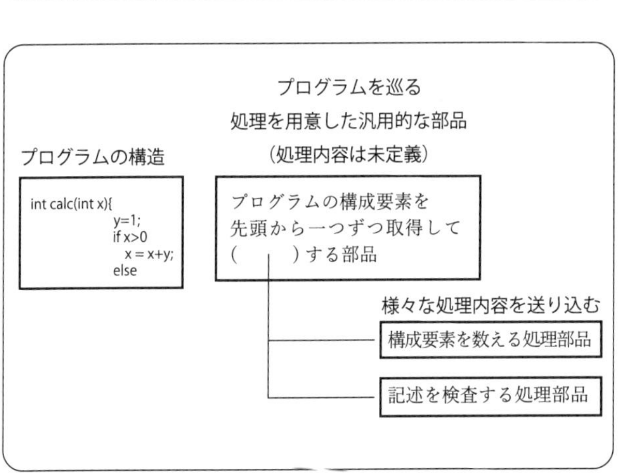

図2.4　Visitorパターンに基づく設計

カウントの共通点や傾向を調べたいかもしれませんし、とにかく考えられる処理は多数あるわけです。そうすると、

> 「フォローしているアカウントがフォローしているアカウントを順々に見ていって、『処理部品』を使って何かをする」

という部品を作り、その部品に対して『処理部品』を差し込むことで、様々な処理を実現できるようになります（図 2.4 上部）。

全く別の種類のシステムとして、プログラムコードに対して分析や検査を行うことを考えてみましょう。この場合も、

> プログラムの構成部品を順々に取り出していって、『処理部品』を使って何かをする

という作り方をすることで、『処理部品』の部分を変えれば、プログラムの大きさを測ることも、プログラムの検査をすることもできます（図 2.4 下部）。

これら二つの違う問題に対して、「同じ考え方」で解法を得たことになります。この知識を再利用しようとするならば、ソフトウェアエンジニアが知識として持つべき「典型的な考え方」とは、

> 「複雑なデータを順々に巡っていって、『処理部品』を使って何かをする」という設計構造

ということになります。これはVisitorパターンと呼ばれるデザインパターンです。『処理部品』と呼んでいる部品が、データの様々な箇所を「訪れていく」というイメージです。

なお、デザインパターンも、アーキテクチャと同じく元は建築用語ですが、今ではソフトウェア業界で使われることの方が圧倒的に多い言葉のようです。

状態遷移

システムによっては、「イベントAが起きると、システムはこういう変化する」という状態変化（状態遷移と呼びます）が複雑になることがあります。こういったシステムでは、プログラムを書く前に状態遷移を整理、設計することが有効です。

図2.5に自動販売機の状態遷移を描いた図を示します。上の黒丸が初期状態（スタート地点）を表します。角丸四角形が状態を表し、矢印がその間の変化を表しています。矢印には、状態が変わるトリガー、条件、状態が変わった際にとられるアクションが記述されています。この図からは以下のようなことが正確に読み取れます。

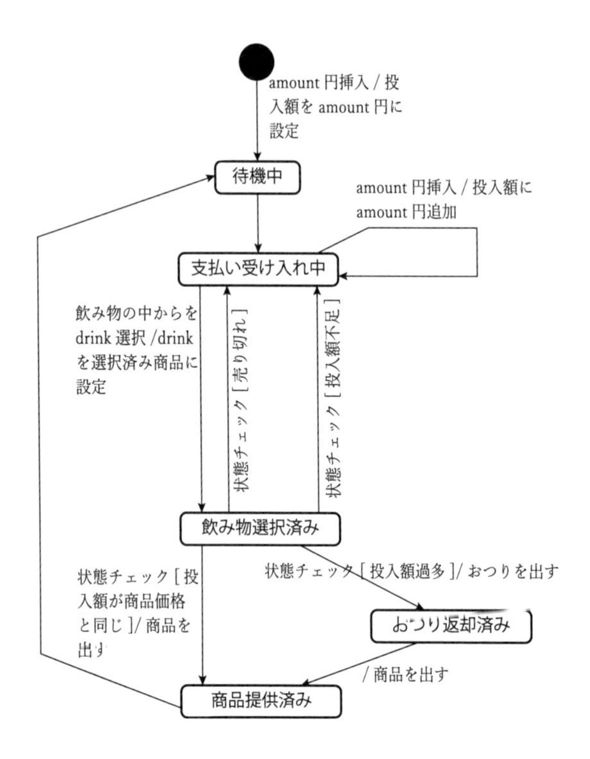

図 2.5　状態遷移を表した設計モデル

・「待機中」と呼ばれる状態から、お金の挿入があって初めて反応する（最初に飲み物を選ぶボタンを押しても何も変化しない）。
・飲み物が選択されると、「状態チェック」というトリガーによって、「売り切れ」「投入額不足」などの条件に応じて異なる状態に変化する。
・おつりが必要な場合は、おつりを先に出してから、商品を出す（下部の「おつり返却済み」状態から「商品提供済み状態」への矢印）。

ここまで整理されていれば、「状態チェック」という機能を持つプログラムが、どういう条件で何をすべきかなどが明確になっており、プログラムを書き出すのは容易です。一方でプログラムの1行1行を書きながら、この図のように全体を見通すのは難しいので、このような図を描くことで状態遷移全体の整理、共有ができます。また、「最初に飲み物ボタンを押しても反応しない」といった厳密な動作が明らかになります。

なお、今の自動販売機はICカードに対応しなければならず、電子マネーの場合は「飲み物を先に選んで金額が確定したら、ICカードやスマートフォンを近づける」という順序に対応する必要があります。一方でまず最初にコインを入れる人もやはりいるでしょうし、「コインを少し入れたけど、やっぱり足りないからICカードで」という場合もあるかもしれません。「多様な使い方に柔軟に対応してほしい」という要求に対して応えようと思うと、自動販売機の動作はもっと複雑になってきます。

UML

ソフトウェア開発においては、そもそも形がないものを決めたり議論したりしていく必要があります。このため図 2.5 のように、図形式のモデル表現を用いることがあります。この図は凡例にあるように表記ルールに従って描かれています。

図 2.6 に、同じ内容を簡略化したものを示します。これでも十分に見通しは立つかもしれませんね。ただ、長方形の意味が最初（上部）では状態（名詞）で、矢印が状態変化やイベント（動詞）を指していたものの、下部の「おつりを出す」と「商品を出す」は長方形が状態変化やイベント（動詞）を指すように変わってしまっています。また矢印の添えられている言葉も、「イベント・トリガー」と「条件分岐」が混ざっています。もしこの図の役割が、その場限りの感覚的な理解・共有に使うだけならそれでよいかもしれません。しかし、厳密なプログラムに対応づけようとしたときには、この不整合のせいで再度正確に考え直す必要性が生じます。

もちろんオフィスソフトなどを使っても「しっかり気をつければ」このような問題は起こさないかもしれません。しかし「一人一人が気をつけること」に頼るのは避けたいですし、そもそも「どういう記法にするか」しっかり決めて都度読み手に伝えるのも大変です。

図 2.5 での自動販売機の状態遷移モデルは、UML と呼ばれる標準モデル記述言語の表記ルールに従っていました。記法（とその意味）が定まっていて、それに従った入力を支援するソフトウェアツールを使って入力すれば、場所によって記法がぶれているような不整合は起き

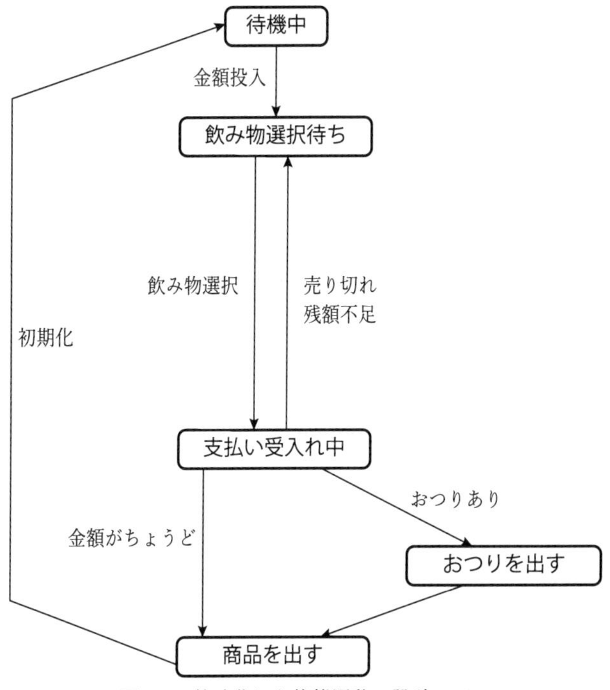

図2.6　簡略化した状態遷移の設計モデル

ません。また「この点もあの点も書き出すこと」という網羅性を意識しやすくなります。さらに、もしその標準を皆が勉強していれば、記法に関する議論や共有は不要となります。

UML は Unified Modeling Language の略で、まさに、各所で別々に検討されていたモデル記法を統一してできた標準となっています。UML は図形式を採用しており、目的に応じて10種類以上の図が定義されています。図2.5では、状態遷移を描くのに適したステートマシン図という形式をそれぞれ使いました。ちなみに、図2.3で示した図は、部品間のやりとりを見るのに適したコミュニケーション図という形式を簡略化したものです。本書で挙げたこれらの図は、設計を扱うモデルの例ですが、要求分析においてどのアクターがどんな機能を使うかを整理するユースケース図、運用においてどのソフトウェア部品をどのハードウェアで動かすかの対応を表す配備図など、異なる工程で用いる図もあります。

Section 2.4 そして実装へ

設計により十分な見通しがたったら、プログラムを構築（実装）する工程に入ります。設計モデルを緻密に描くことにより、設計モデルからプログラムコードを自動生成するようなときもあります。プログラミングについては専門書が多数あり、多様なトピックを含むため本書では述べません。

Section 2.5 テスト：どうシステムの品質を確認するのか？

テストの重要性

要求を満たしている（はずの）プログラムコードを構築したとしても、実際に要求を満たせているかはわかりません。言い換えると、欠陥、いわゆるバグがあるかもしれません。優秀なエンジニア組織においても1000行あたり5個程度はバグを埋め込んでしまうとされています。プログラミングを勉強しアルゴリズムを実装した経験がある方であれば、パズルのような論理的な難しさがあることをご存じでしょう。また、バグは「特定の状況でのみうまくいかない」という結果になるため、検出するのも修正するのも大変です。テストは非常に重要で、挑戦的な活動となります。

テストケースの洗い出し

テストの難しさや煩雑さ、複雑さを表す問題の一例として、マイヤーズの三角形という問題が知られています。問題は簡単です。

辺の長さを表す3つの数字を打ち込むと、それ

> が正三角形であるか、二等辺三角形であるか、不等辺三角形であるかを返答するプログラムがある。このプログラムに対して必要なテストケース（どのような入力を試すか）を考えよ。

なお、数学的には、正三角形は二等辺三角形でもありますが、ここでは「二等辺三角形」という出力は、「正三角形ではない二等辺三角形」に対するものだとしましょう。

例えば以下のようなテストケースが自然に考えられるでしょう。

01 (3, 3, 3) を入力して「正三角形」と出力されることを確認する
02 (3, 4, 4) を入力して「二等辺三角形」と出力されることを確認する
03 (3, 4, 5) を入力して「不等辺三角形」と出力されることを確認する

この問題を作ったマイヤーズは、作ったテストケースの良し悪しを判断するための 14 個のチェックリストを提示しました。例えば、以下のような項目があります。

・意味のある二等辺三角形を入力するテストケースで、並び順の異なる最低3つのテストケースを含めているか？

前述のテストケース02番だけでは、出力が二等辺三角形となるべき場合のテストとして不十分ということです。つまり、(3, 4, 4)を試すだけでなく、(4, 3, 4)と（4, 4, 3)を試す必要もあるということです。他にもチェックリストには以下のような項目も挙がっています。

・1つの入力値が0となるテストケースを含めているか？
・3つの入力値がすべて正だが、うち2つの和がもう1つより小さいようなテストケースを含めているか？

これらは不正な入力に関するテストケースです。2つめのケースは、そもそも三角形にならないケースです。三角形にならないケースにおいても、並び順が異なる3つのテストケースを考える必要があります。このように、不正な入力となるようなケースも含め、多数の入力を試してみなければならないことがわかります。このように、一見単純な機能でも、例外的な場合を含めて様々なテストケースを実施する必要があります。

なお、チェックリストの最後の項目は以下の通りです。

・すべてのテストケースにおいて、期待される出力を定義したか？

出てきた出力を見てから考えると「それらしい正解のように見えてしまう」ことがあるので、テスト実行の前に期待する出力を書き出しておく必要があるということです。

ブラックボックス・ホワイトボックス

そのほかテストにおいて重要な考え方として、ブラックボックステスト・ホワイトボックステストというものがあります。先に挙げた三角形の例では、実際に作ったプログラムコードは一切見ずに、機能要求からテストケースを洗い出したと言えます。このアプローチをブラックボックステストと言います。プログラムは「中が見えない」ブラックボックスであるとして、「何をすべきか」の観点からテストを行います。逆に、プログラムの構造を踏まえて、「このプログラムならこういうテストをしておくべきだ」と考えるアプローチをホワイトボックステストと言います。

ホワイトボックステストの場合、プログラムの構成要素をどれだけ多く試したか、というカバレッジと呼ばれる基準により、テストの適切さを測ります。例えば、プログラムに含まれる命令文が1000個あったときに、一通りのテストケースの集まりを実行することでそれらのうち970個が合計で実行されたとします。すると、命令文のカバレッジ（命令網羅率）は97%となります。他にも、プログラム内の条件分岐（ブランチ）を網羅した程度を測るカバレッジ（分岐網羅率）もあります。「xが正なら……する、負なら……する」
といった条件分岐があったときに、その両方をテストしたかということを確認する基準になります。

ブラックボックステストとホワイトボックステストは

両方が必要になります。要求に対してテストを定義するだけだと、プログラム固有の詳細や処理効率のためにプログラム内で細かい場合分けをしているようなときに、それらが一通り検査されないことがあり得ます。逆に、プログラムの構成要素をすべて検査しても、要求を満たしていない可能性もあります。

V 字モデル

ここまで述べた三角形の例は、計算・処理に関する一つの機能をテストするものでした。実際のシステムには、画面に関する部品もあるでしょうし、三角形の分類を一部品として使ってより大きな計算・処理を行う部品などもあるでしょう。また複数台のコンピュータを使って大量の処理依頼をこなすかもしれませんし、ネットワークを介して処理依頼を受け取るかもしれません。このように実際のシステムは様々な構成要素を含みますが、いきなりすべてをつなげてテストするのは得策ではありません。なぜなら、うまくいかなかったときに何が悪いのかの分析や把握が困難になってしまうからです。

この点を踏まえて、異なる対象・規模のテストに関するプロセスを示した、V 字モデルというプロセスモデルが広く知られています。図 2.7 に示すように、左側は 2.1 節で最初に挙げたウォーターフォールのように、要求から実装（プログラム）に至るプロセスを示しています。このときには、要求から始まり、システム全体の構造

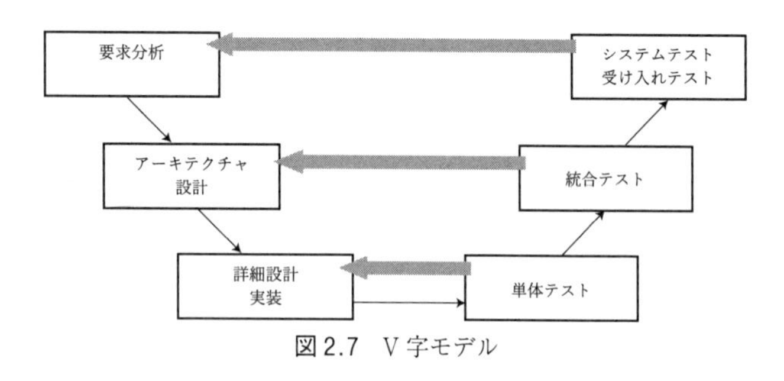

図 2.7　V 字モデル

（アーキテクチャ）を設計した上で、部品ごとの設計や実装に入っていきます。図の右側は、テストに関するプロセスを示しています。下から上に上がっていくようになっていますが、前述のように、テストをするときはまずは部品ごとに正しく動作することを確認すべきです（単体テスト）。そのことが確認できた上で、各部品を組み合わせてうまくいくかどうかを確認します（統合テスト）。その後に、ネットワークやハードウェアも含めた全体のテスト（システムテスト）や、そもそもの顧客や利用者の意図に合っているかのテストを行うことができます（受け入れテスト）。

コラム：フロントローディング

V 字モデルに対してよく挙げられる課題として、品質の検討や検査が遅いという点があります。例えば、V 字左側のアーキテクチャ設計において何か誤りや誤解があったとします。例えば、部品と部品をつなげて動かす方法について不適切であったり、読み手によって異なる解釈がなされたりするようなことがあります。このような誤りは、設計書を作ったエンジニアチーム自身によるレビューと呼ばれる読み込み・検査で気づかなかった場合、V 字右側の統合テストが実施されるまで検出されません。すると、検出した誤りを直すために、設計書からその後のコード実装まで、手戻りと呼ばれる多くのやり直し作業が発生します。

V 字の左側では、「作る」ことを目指して設計担当や実装担当のエンジニアが動いていきます。V 字の右側では、「検査する」ことを目指してテスト担当のエンジニアが動いていきます。後者のエンジニアは、テスト対象となるソフトウェアやシステム全体に対して「こういうケースでも本当にちゃんと動くのか？」という問いを投げかけていくことになります。これは非常に重要な活動で、設計書を作った人が気づかなかったような怪しいケースを洗い出すことができます。

さて、話を戻すと、そのような第三者による洗い出しは、検査のためだけなのでしょうか。「こういうケースも考慮しなければ」というのは、実は設計の活動において重要です。すると、V 字の右側まで待たずに、V 字の左側の時点でもテストを担当するエンジニアが関わるべきという考えがあります。まだプログラムの実装は得られていないので、対象を動作させてのテストはできませんが、テストの検討・計画を行い、その過程で気づいたことをフィードバックすることができます。V字の左側において、もう一本並行に活動の線が入るイメージになります。するとVがWのような形になるため、このようなアプローチをW字モデルと呼びます。

より広くは、誤りは早く見つけるほど手戻りが少ないため、要求分析や設計の工程での活動を強化すべきという考え方があります。これは、プログラム実装やテストの工程において負荷が増大・集中することを避けることにもつながります。このような考え方をフロントローディングと呼びます。「前に移す」というイメージです。

なお、上ではアーキテクチャ設計の誤りを例として挙げました。要求に誤りや抜けがあった場合はどうでしょうか。それが確認できるのは、V字の一番右上、一番最後の受け入れテストになります。そのときに「やりたいことと違うものができた」と気づくのはあまりにも遅いですね。この点については、W字モデルにより受け入れテストの定義の確認をステークホルダーと前もってやる手もあるでしょうし、実際のシステムの動作を再現する仮のつくりの模型のようなもの（モックと呼びます）を作ってステークホルダーに確認してもらう手もあります。より根本的には、一回のV字モデルで作る量を小さくし、期間を短くすることも考えられます。3章ではこの点について、より深く紹介していきます。

Section
2.6 配備・運用：どうシステムを動かし続けていくのか？

システムの配備と運用

開発したソフトウェアはそれ単体のみが成果物となるだけでなく、そのソフトウェアを動かすハードウェアやネットワークを含めたシステム全体が成果物となることがよくあります。例えば企業の社内で動作し続ける業務システムについて、社内に用意されたサーバールームにハードウェアを設置し、開発した業務ソフトウェアをインストールし、ネットワークなどの設定を行うまでがエンジニア組織側の責務となることがあります。

さらには、システムを監視したり、適切に設定を変えたり、システムの限界を補ったりするような人間の動きも重要となります。そのための運用マニュアルや、運用体制も非常に重要な側面となります。専門的な機器の監視やソフトウェアの詳細な設定など専門的なタスクは開発組織が担うこともありますが、利用組織が適切にシステムを使っていくことが非常に重要です。そもそもシステムの機能が、利用者が適切な入力や下準備を行うことが前提となっていることもあります。不具合発生時も、不具合の種類によっては利用者側で対処すると決めてマニュアルが整備されていることもあります。ソフトウェアシステムが適切に役割を果たすためには、各利用者の意識や理解も重要になります。

コラム：利用組織による運用体制の重要さ

IT システムに関連したトラブルが社会に大きな影響を与えた事例は多くあります。それはすべてシステムの不具合だけに起因しているわけではなく、利用者の誤解や誤操作や、運用の方法・体制に起因していることも多々あります。

東京証券取引所において、証券会社の担当者が「61 万円 1 株売り」とすべき注文を「1 円 61 万株売り」と誤入力してしまい、対象の株が急落するという事件がありました。この事件では、この担当者が異常な注文ではないかという警告を無視して進めてしまったというのがまず発端となります。とはいえ、人間は間違えるものだという前提でシステムの設計や運用の仕組みで補うべきなので、この誤発注を大きな問題として責め立てるべきではないでしょう。その後証券会社側は、数分後にシステム上での取消を試みたものの受け入れられず、電話で東京証券取引所への取消依頼を行いました。ここで、東京証券取引所は「証券会社側でこのような操作を行うべきだ」ということで、あくまでシステム上での取消を指示しました。しかし、後日の分析の結果、証券会社側の取消操作はシステムの仕様と照らし合わせて問題なかったこと、つまりそれが受け付けられなかったのは、東京証券取引所側のシステムの欠陥であることがわかりました。また電話での対応についても、この仕様に対する誤解があったようです。なお、欠陥や誤解があった仕様は、「無効な価格での注文を、有効な価格にシステム側で置き換えて進める」という例外的な動作に関するものでした。証券取引は10分あれば大きな損失が出てしまうため、欠陥がないことはもちろんであるものの、例外時の対応についても迅速、適切に行われることが求められます。

ある銀行のATM障害では、利用者の通帳やクレジットカードが取り込まれたまま出てこないという状況になり、多くの利用者がどうしていいのかわからずATM前で待つような事態になりました。現場には警備会社の警備員だけいるような状態でした。社会的な影響が大きいATMにおける長時間の障害自体が大きな問題であるとともに、通帳やクレジットカードが取り込まれたままになるという仕様の定義にも異論があるでしょう。運用という観点では、そのような仕様があるのだとしたら、障害が起きたときの対応として「利用者にはいったん帰ってもらうように依頼」といったことが定義・周知されることが理想だと言えます。なお、そもそもこの事例では、日曜日に起きた障害に対しすぐに対応できなかった運用体制の貧弱さも指摘されています。

DevOps

ソフトウェアの開発と、配備や運用とで、作業チームが分かれていることがあります。専門性が異なるので分業するのは当然ではあります。しかし、「このソフトウェアはこのような機器環境でしか動かさない想定」といった情報の連携が漏れてしまったり、ソフトウェアの更新が実際のシステムに反映されるまでに多大な時間を要したりしてしまうことがありました。運用時に検出された問題点が、開発チームにフィードバックされるまでに時間がかかるようなこともあったかもしれません。

2010年前後以降においては、DevOpsという考え方が注目されています。この言葉は開発（Development）と運用（Operation）を合わせた言葉で、これらの密な協調、あるいは一体化を目指す言葉です。DevOpsはしばしば図2.8のような図で説明されます。図にはVerify（検証）も入っていますが、実際には、開発チーム、テストなどの品質保証チーム、運用チームの密な連携や一体化が重要であるとされています。

DevOpsは組織・文化の話であるとともに、DevOpsのための技術的な施策も盛んに追求されています。特

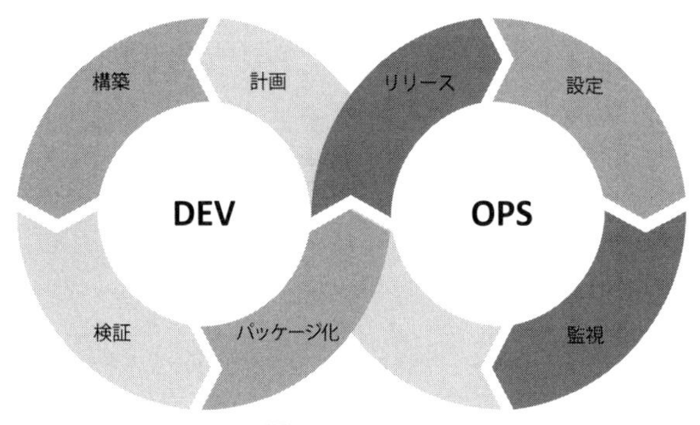

図2.8　DevOps

に、各ソフトウェア部品の開発・更新がなされてから、それらを統合して全体のテストを行うことをできる限り自動化し、何度も何度も効率的に反復できるようにすることを「継続的統合」と呼びます。構築したソフトウェアをハードウェア上に設定するまでを自動化し、効率よく反復できるようにする「継続的配備」も考えます。これらを併せて「CI/CD」と呼び、それらを実現するための支援ツールが広く用いられるようになってきました（CI/CDは、Continuous Integration/Continuous Deliveryの略）。

Section
2.7 保守：どうシステムの価値を維持し、高め続けていくのか？

保守の必要性

実は、ソフトウェアに関するコストの少なくとも半分以上が、最初のリリース以降にかけられています。様々な理由により、リリース後にソフトウェアを変更することが必要となります。リリース後に行われる活動のことを総称して保守（英語ではメンテナンス）と呼びます。一般的な用語として保守というと、何かの作業をするために一時的にサービスを停止して、ある日だけ作業するようなイメージがあるかもしれません。サービスを停止するか、一日で終わるか、といったことは関係なく、リリース後の活動のことを保守と総称します。

保守が必要となる要因としては第一に、欠陥がリリース後の利用を通して検出されることがあるためです。テストの際には想定できなかったような利用状況があるなど、どうしてもリリース後に欠陥が発覚してしまうことがあります。

第二の理由として、動作環境や要求の変化があります。例えば Windows の新しいバージョンがリリースされたので、そのバージョンでも動作するようにソフトウェアの更新が必要かもしれません。あるいは、特定の電子マネーが新しく普及してきて、その電子マネーにも対応したいという要求が後から生じるかもしれません。

後者の方はビジネスの観点では特に重要であるとともに、実世界のあり方にソフトウェアを合わせる必要があるという難しさも示しています。例えば、レジ管理や売上げ管理のソフトウェアでは、消費税率が変わるとそれに対応する必要があります。消費税率は3%、5%、8%と上がってきたので、この歴史から「税率の変化に対応できること」は要求として想定済みかもしれません。つまり、税率の値を利用者が設定できるようにうまくソフトウェアを作っていたかもしれません。しかし実際には、2019年に軽減税率が採用され、テイクアウトとイートインで税率が変わることとなりました。この変化まで事前に見越して要求を書き出せていたような企業はまずないでしょう。自分たちにとって予測・制御ができない形で要求が変わっていくこともあり、対応を強いられることもあります。さらに本来は、外界変化により止むなくということではなく、ビジネスの活動をよりよくするために、そのルールとソフトウェアを連動して能動的に変えていくべきでしょう。

第三の理由として、ソフトウェアの「つくり」をよくしておく、つまり満たす要求は変えずに、設計を整えておく、それによりエンジニアにとっての品質である変更容易性や理解容易性などを向上するということがあります。これはリファクタリングと呼ばれます。「すでにちゃんと動いている」のに、手を付けて整理をしておくというのは一見無駄に見えるかもしれませんが、設計を整えておくことにより、第一や第二の理由による将来の変更に要する期間やコストが小さくなります。

実際、リリース前には納期を守るために、プログラムの整理やドキュメント化がしっかりできずに、とにかく「ちゃんと動けばよい」ということでリリースのための作業を優先してしまうことがあります。このような進め方がもたらす結果を、「技術的負債」と呼びます。何かを飛ばしたり後回しにしたりすることで、将来苦労することになっているので、「負債」、あるいは「借金」と呼ぶわけです。リリース後にこの技術的負債を解消するための工数をとることは、なかなか費用対効果が見えづらいですが、非常に重要なこととなります。

これらの保守のあり方は、対象とするソフトウェアシステムの性質によって異なるでしょう。Web 上で公開されているシステムや、スマートフォンのゲームなどは、2 週間などの短い単位で更新され続けることがそもそも大前提になっており、保守というよりも継続的な開発が当たり前といったところがあります。システムによってはもしかしたら、何週間もテストするよりも、早くリリースして価値を届け、問題が見つかったらすぐに対応することを重視しているかもしれません。一方で、原発や鉄道、航空機などのソフトウェアでは、欠陥の影響が非常に大きく、気軽にソフトウェアを更新できるものでもないので、最初の開発に非常に大きな重点があるでしょう。ソフトウェア開発のあり方は、対象とするドメインによって非常に多様化しています。

保守の難しさ

本章の頭にさらっと、ソフトウェアに関するコストの少なくとも半分以上が、最初のリリース以降にかけられていると書きました。保守は非常に工数がかかり難しい作業となります。イメージとして、大学入試の数学の問題で、誰か他の生徒が書いた解答があったときに、問題の一部だけが変わったので解答を作り直す、ということを考えてみます。今ある解答、他の人が作ったものをまず読み解く必要があります。計算過程などは最低限あるかもしれませんが、すべての意図が書き残されているわけではないでしょう。それを読み解いた上で、どこは変える必要がなく、どこは変えなくてよいのかを判断する必要もあります。問題文の数字が一つ変わっただけでも、特定の仮定が成立しなくなり大部分書き換えのようなこともありうるかもしれません。もちろん入試問題くらいなら、15分くらいで終わる想定なので、前の解答を参考にしながら、一から解答を作り直す方がおそらく楽でしょう。しかし、何ヶ月もかけて作ったソフトウェアを作り直すことなどできません。

このように、保守の難しさの要因は、そもそも既存のものを理解するというところから始まります。多くの場合、「自分以外が作ったもの」に取り組まなければなりません。ソフトウェア開発と保守の契約によっては、

「ソフトウェアシステムのリリース後も半年単位で保守作業の内容を決めて継続的に機能拡張や欠陥修正を行う」という契約もあります。しかしそうでない場合、該当ソフトウェアの開発を行ったチームについて、仕事もないのにチームを維持し続けることはできないので、開発チームのメンバーは次のプロジェクト、別のチームに移っていくことになります。このため保守については、当初のチームとは別のチームが対応することもあります。

この理解のための技術は、プログラムコードに対する検索技術などがあります。変更対象となる機能がプログラムコードのどの部分にあるのか見つけたり、ある部品を変更したときに影響を受ける部分を探したりします。また、ここまでに紹介した設計モデルのような抽象的な情報を、プログラムコードから抜き出すような技術もあります。これは、「モデルからプログラムを作る」ことの逆になっているので、リバースエンジニアリングと呼ばれます。

保守において特に難しいのは、影響分析と呼ばれる作業です。「この部分『だけ』を変えればよい」「このテスト『だけ』をやり直せばよい」という判断です。すべてをやり直すわけにはいかないので、最低限必要な変更を行い、変更がない部分についてはテストもやり直す必要はないわけです。しかし、実際には「隠れた影響」が多々あります。「消費税率が変わったのでレジでの会計機能を変更しよう、そこだけ変更してテストしよう」と考えたが、実は税率は売上げの集計や予測の処理でも使われていた、といったことがあります。また税率が変わったことで、計算やデータ保存に必要な数字の桁数が変わるなどの気づきづらい影響があるかもしれません。

影響分析のための技術の一つは、開発時にそもそも影響関係をモデルとして記述しておくことです。本書では要求分析のためのゴールモデルを紹介しましたが、ゴールモデルがあれば、「このゴールが変わるとそのサブゴールすべてについて必要な変化を検討する必要がある」ことがわかります。他にもトレーサビリティ・マトリックスといって、その名の通り、どの部品がどの要求に対応しているか、どのテストがどの要求に対応しているか、などの追跡をするために書かれた行列（表）を用意することもあります。とはいえ、こういった記述は漏れがちであったり、後回しにされがちであったりするため、ソースコードなどのデータを分析して関連性を掘り出すような技術もあります。

コラム：機能追加による不具合

保守におけるトラブル事例のうち、単純なものとして 2023 年に公文書十万件が消失した事故について紹介します。行政機関などでの公文書に対しては、法律に対応した管理が必要となるので専用システムにより管理を行っていました。このソフトウェアでは、文書ファイルの名前はすべて大文字で（XXXX.XLS のように）管理する仕様となっていました。

ここで、Excel を用いて公文書上のデータを集計するために、マクロと呼ばれる Excel 内のプログラムを適用したいものの、そのマクロではファイル名は小文字である必要があったそうです。大文字小文字の変換は、まぁプログラマにとっては簡単な話ではあるので、さっとファイル名をすべて小文字にする機能を文書管理システムに追加したそうです。

前述の通り、このような変更作業を行う際には、影響分析やテストが必要となります。ファイル名が他の機能のどの部分でどう使われているか、といったことを調べる必要があります。しかし、どうもこのような分析やテストが飛ばされてしまったようです。

結果としては、新機能によりファイル名が小文字に置き換えられたものの、ファイル名一覧を保持するデータが更新されませんでした。文書管理システムにおける他の機能として、ファイル名一覧に含まれないファイルは、仮のものや古いものと判断して、定期的に削除する機能がありました。結果として、十万件の必要なファイルが、小文字になった際にファイル名一覧には含まれなくなり、すべて削除されてしまいました。

この例は単純な影響関係ですが、実際には調べても気づきづらいような影響関係もあり得ます。部外者としては「ここを変えるだけだから簡単でしょ」

という気持ちにもなりますが、既存システムの変更はややこしく不具合につながりやすいのです。

Section
2.8 マネジメント：どう開発・運用の活動を管理していくのか？

規模や工数の見積もり

ここまでソフトウェアの開発から運用、保守まで、順々に取り組まれるような活動を眺めてきました。実際にはこれらの活動において常に、人員や時間に関する計画の立案、進捗状況の監視と調整といったマネジメントが行われることになります。以下では、経験則から得られた規模や工数の見積もりについて紹介します。

ファンクションポイントと呼ばれる手法では、これから開発しようとするソフトウェアの規模を見積もります。もちろんシステムが完成すれば、プログラムの行数など規模を測る手段はありますが、重要なのは契約などの時点で規模を見積もることです。対象ソフトウェアの各機能について、入力の数や出力の数を数えるとともに、その複雑さや実装の難しさを加味して、対象ソフトウェアを作る手間の大きさのようなものを点数として表現します。

ソフトウェア方程式と呼ばれる法則では、必要な工数

Eは、コード行数Lの3乗に比例し、かける時間tの3乗に反比例し、生産性Pの3乗に反比例するとされています。

$$E = L^3 / P^3 t^4$$

この式を使って例えば$L = 33{,}000$，$P = 12{,}000$としたときに、以下のような計算ができます。

・1年9か月で終わらせる（$t = 1.75$）とすると、必要な人数は4人（$E = 3.8$）
・1年4か月で終わらせる（$t = 1.3$）とすると、必要な人数は8人（$E = 7.2$）

この例では、開発期間を約半年短くするのに人数は倍必要となっています。人を増やせばいくらでも完成時間を早くできるようなことはありえないというその経験則が反映されている式になります。もちろんあくまで目安でしかありませんが、こういった経験則から得られた予測式に、担当者の経験有無やシステムの複雑さといったリスク要因を加味するなどして、見積もりが行われています。

簡易に見積もりを行う場合だと、まず画面の個数と、ユーザー一覧や予約一覧などシステムが保持するデータベース種別の個数から、さっと必要な工数を見積もってしまうこともあります。ここから、ソフトウェア方程式の簡易版のような式を使うことで、必要な時間が出せます。これらにより、例えば開発組織と、企画・発注・利用組織の打ち合わせ中にでも、簡易に人員コストや納期を見積もることができます。

マネジメントにおいては、もちろん見積もりだけでなく、現状の把握とスケジュール調整、リスクの分析、タスクへの担当者の割り当てなど様々な活動が必要となります。次の３章では、読者の皆さんも馴染みがあるであろう「毎日の仕事量の管理」「毎週の進捗確認」といった小さな単位について、最近の具体的な考え方を紹介します。

第３章　アジャイルソフトウェア開発

Section 3.1 計画指向・定型化の難しさ

一年かける要求・計画を見据えられる？

2章ではソフトウェア工学における活動やその支援のための原則・知識・技術を概観してきました。紹介した考え方の多くは、1990年代やもっと前にまとめられたようなものです。基本的には、ソフトウェアやその要求、設計といった形がないものに対して、「エンジニア一人一人の能力や工夫に依存してうまくいく」というよりも、いかに誰でも系統的に、適切に進められるかというアプローチでした。ハンバーガーチェーン店のようにマニュアルに基づいて進めれば誰でも一定の品質が得られるようなイメージかもしれません。もちろんソフトウェアは毎回プロジェクトごとに異なるものを開発する点が、ハンバーガーとは異なります。それでも、要求仕様書を含む開発の計画を立てたら、それに従ってしっかりと進めていくやり方が確立されてきました。

上で述べたようなことは工学として当然重要なことであり、今でもとても重要であることに変わりはありません。「属人性を下げる」、「開発プロセスが不安定であったり不確実であったりすることによるリスクを避ける」といったことは当然必要でしょう。しかし1990年代後半には、それまでのアプローチがこのような計画指向・

定型化ばかりに偏っていたのではないかという反省が生じました。実際にはソフトウェアにおいて、計画指向や定型化では対処できない不確かさがあるためです。

ソフトウェア開発における難しさの一つは、システムが何をするかという要求仕様を決めること、その開発・運用の計画を立てることです。例えば企業で用いる会計システムについて、500ページや800ページといった仕様書が作成されたとして、そこに書かれた機能や品質がビジネスの様々な業務や状況において十分だと断言できるでしょうか。さらに、そのシステムができるのが一年後だとして、そのときにそれらの機能や品質が変わらず有効だと断言できるでしょうか。

「顧客が本当に必要だったもの」という言葉もありましたが、本来業務や組織のあり方、そのためのシステムのあり方は不確かなものであるとともに、厳密な言葉として明確化する難しさもあります。変化が激しい時代ですので、一年後には業務のあり方が変わっている可能性もあります。加えて、開発工数の見込みなど計画にも不確かさがあるでしょう。もちろん対象システムの種類によっては、非常に定型的でこれまでの経験が十分に当てはまり、予測可能性が高い場合もあるでしょうが、それでも要求には一定の不確かさがあります。

ここで、テストに関連して紹介したＶ字モデルを振り返ってみると、企画・発注を行った組織や実際の利用者がシステムをテストし妥当性を確認する受け入れテストは、開発プロセスの一番最後に行われます。一年間かけた後に初めて利用者の確認が入り、そこで「思っていたものと違う」「使ってみるとこういう機能が欲しくなる」「今となってはこの機能は重要ではない」となってしまっては悲惨としか言いようがありません。

要求仕様を決めること、計画を立てることが悪いわけではありません。しかし、不確かさが高い状況下では、それらの範囲は、数週間や高々数ヶ月といった単位であるべきです。もちろんこのような短い期間では、必要性が高いもの、限られた範囲の機能や品質の一部しか実現できないでしょう。このため、反復的、段階的に開発とフィードバック・学びを繰り返していくことが考えられます。

加えて、このような反復、段階的な進め方では、重要な機能だけは数週間後にもう使えるようになる、という迅速さや、一ヶ月後に状況が変化してより重要な要求が現れたような場合に対応しやすいという柔軟さも利点となります。

人間の知的で協調的な活動を促進できる？

ソフトウェアの開発や運用を原則・知識・技術を揃えることで定型化することは重要ですが、実際の活動は、システム・プロジェクトごとに異なる知的な課題に取り組むことです。例えばプログラミング一つ取り上げても、ある機能を実現するために正しく効率的な手順（アルゴリズム）を定めるのは難しい課題であり、競技としてコンテストも盛んに行われています。担当者が決まっていたとしても、必ずしもうまく課題を解決できるとは限りません。問題を他者と共有することで、知識や知恵が得られる可能性もあります。あるいは、その人に割り当てられている他のタスクを別の人が進めておくようなことも考えられます。

そのような問題共有や協調はどのように行うのでしょうか？　問題を抱えた人が声をかけて皆を集めるべきでしょうか。それともチームの管理者が問題に気づき、ミーティングを開催したり、補助者を割り当てたりするのでしょうか。あるいは、毎朝、状況報告の会を設けて、お互いがお互いの状況や問題を把握できるようにする手もあるでしょう。いろいろなやり方があるでしょうが、このような協調の仕方や、知的な活動の進め方こそ、「その人次第」とせずに、「定型化」して促進すべきです。

2000年代までのソフトウェア工学の焦点は、開発の過程における設計やテストなどの活動の定型化による効率化や安定化にありました。しかし実際に動くのは人間のチームであり、挑むのは知的な課題です。これに対し、日々の活動をどのように促進するのかという観点が弱かったと言えます。

Section 3.2 アジャイルソフトウェア開発

アジャイルソフトウェア開発宣言

ここまでに述べた背景を含めて、従来のソフトウェア工学の技術や実践の偏りに対し、17名のエンジニアにより「アジャイルソフトウェア開発宣言」が2001年に出されました。ここでの「宣言」は、「マニフェスト」という英単語の訳で、日本では政権公約に基づく活動計画を指す語として使われています。この宣言では、以下の言葉が述べられています。

- プロセスやツールよりも個人と対話を、
- 包括的なドキュメントよりも動くソフトウェアを、
- 契約交渉よりも顧客との協調を、
- 計画に従うことよりも変化への対応を、価値とする。すなわち、左記のことがらに価値があることを認めながらも、私たちは右記のことがらにより価値をおく。

この宣言では、これまでのソフトウェア工学の技術や実践が「左側」に過度に偏りがちであったことへの対応を述べています。第一の項目は、「開発作業の定型化」

重視の点について、「プロセスやツール」という語で触れられています。知的な活動、チームの活動に焦点を当てるという点が、「個人と対話」という語で触れられていいます。

第二の項目は、本書でも触れた、大量の仕様書や設計書に対し、動くソフトウェアが得られるまでに一年かかるような状況も考慮しています。他にも、仕様書や設計書をまずとにかく一通り埋めることが、あたかも目的であるように、盲目的に取り組まれ形骸化してしまっている状況も批判しています。それらのドキュメントの意義や利用価値を考えて、適切に工数をかけていくべきです。

第三の項目は、ソフトウェアシステムの企画・発注・利用を行う組織と、開発組織が、仕様書の内容や価格で交渉・対立したり、「こう決めたじゃないか」と後で揉めたりするのではなく、協調して価値あることを目指すべきだということを示しています。

第四の点は、本書でも述べた「計画指向」への偏りに触れています。特に近年では、業務や組織の状況の変化が激しくなっている背景も踏まえ、変化への対応が必要であることを強調しています。

アジャイルソフトウェア開発宣言は、世界に非常に大きな影響を与えました。70カ国語以上に翻訳され参照され続けています。

アジャイルソフトウェア開発宣言のWebサイトでは、前述の宣言に加えて、十二個の「背後にある原則」も公開されています。すべての原則には触れないので、ぜひ公開されている原文も検索して読んでみて下さい。

典型的なアプローチ

ここではアジャイルソフトウェア開発における典型的なアプローチについて紹介します。

短期間のイテレーション

アジャイルソフトウェア開発では、動くソフトウェアのリリースを、2～3週間から2～3か月といった短い間隔で行います。この単位をイテレーションやスプリントと呼びます。前述の通り短いイテレーションにおいては、取り組むべき要求や計画の不確かさを低くおさえることができます。あるいは、不確かさを潰すために「(どうせやってみないとわからないなら）速く失敗する」こともできます．また、短いイテレーションを反復することにより、「作ってみて、使ってみて」のフィードバックを早く得た上で、次に取り組む内容を決めていくことができます。さらに、重要だとわかっている機能については早く使えるようになります。動くソフトウェアこそが進捗の基準だとも言われます。

進捗のとらえ方

顧客あるいは、ビジネス側の満足や価値を最重視し、そのために企画・発注組織の人間と開発組織のエンジニアが協働することを重視します。このため、「プロダクトオーナー」と呼ばれる立場の人間が、開発の活動に入り込んで意志決定を行うこともあります。毎日議論や協働を行うことは難しいかもしれませんが、イテレーション自体が２～３週間といった短い時間で終わってしまうので、その中で進捗状況を踏まえた要求の明確化や優先付けといった意志決定を、エンジニアと協働して行っていくことになります。

顧客側の価値を重視するとともに、動くソフトウェアこそが進捗の指標だと考えます。このため、イテレーションで達成すべきタスクを考える際には、エンジニアが行う作業に関するタスクではなく、ユーザーにとって達成に価値があるタスクを考えます。例えば、以下の例のようなユーザーストーリーと呼ばれる形式で取り組むべきタスクや進捗の単位を考える手法があります。

> 系列店の利用者が、有効期限となる前に該当ポイントを使い切りたいために、有効期限が近いポイント数を確認することができる。

価値を最重視することはさらに、様々な原則につながっていきます。価値を届け続けるという意味では、「システム全体が動かない」という状態にならないように、部品同士が常に統合されるとともに、全体が動作するというテストがなされた状態であることも重視されます。運用に関して紹介したDevOpsやCI/CDの考え方が重要となってきます。そのほか、価値につながるかわからないような「一通り作っておく」「よさそうなものを作っておく」ようなことも避ける方針があります。Minimum Viable Product (MVP) や、YAGNI (you ain't gonna need it、つまり「どうせ使わないよ」) といった言葉がよく用いられます。

動くソフトウェアを価値が高い一部だけでも早く送り出すというMVPの考え方を端的に示した図として、Henrik Kniberg氏による図3.1の例示がよく知られています。上部のように、自動車の部品を少しずつ作っていくプロセスを採ると、途中過程で得られたものは動かないものであり、顧客や利用者に何の価値ももたらしません。下部のように、最終形の自動車よりも限定的だが動くものであれば、顧客や利用者に価値を届けることができます。下部のプロセスでは、移動できるということが一番重要なので、そのニーズに応えるスケボーが1番としてまずできています。この時点で、不安定ではよくないというフィードバック、学びが得られます。これを受け、次の2では持ち手があるキックボードができています。しかし、非常に短距離しか進めないということで、続く3では自転車ができています。もしかしたら、自転車の時点で、顧客や利用者はこれで十分だと気づく可能性もあります。最終的に車が欲しいというニーズにも、思い込みや誤解など不確かさがあり得ます。状況が変わって、自動車とは異なる方向性のニーズが発生するか

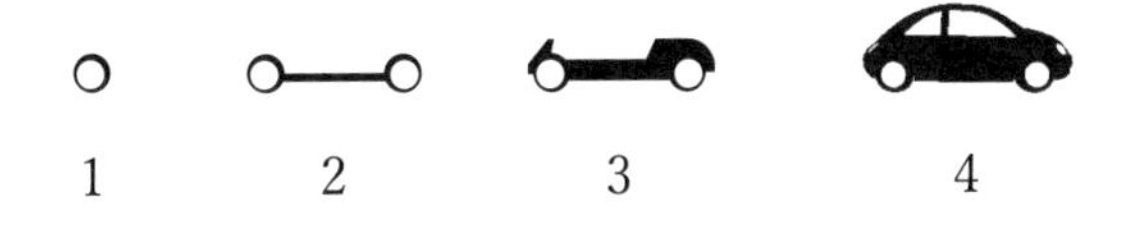

図3.1　MVP (Minimal Viable Product) の考え方

もしれません。この例では最終的には５で車ができていますが、屋根はいらないという形で完了しています。

自己組織化

自己組織的なチームにおいて、技術的に優れた設計を得ることを重視し、振り返りを通してやり方をよくし続けることを重視します。自己組織とは、誰も指示しないのに適切な協調や協働が行われていく形です。このため、従来マネージャー（管理者）と呼ばれているような立場を原則として設けません。チームの全員が開発のゴールやその達成状況、現状の課題などを把握し、各自が適切に動いていくことを期待します。

そのためにはまず、自分たちがやるべきことを共有する必要があります。TODOリストのようなものでにはなりますが、「いつかやりたいこと」と「実際にやると決めたもの」を分けたり、「すでに誰かが取り組んでいること」が明確になる必要があります。「実際にやると決めていないけど、最終的にはやりたいこと」という、TODOの手前にあるタスクのリストはバックログと呼ばれます。毎回のイテレーション単位でのバックログと、プロダクト全体としてのバックログがあり、それぞれ「やるべきこと」を優先付けしたり具体化したりする活動も重要となります。

さらに、自己組織化されたチームでは、情報や現状を全員で共有したり議論したりすることの徹底が重要です。このためにコーチングやファシリテーションと呼ばれる活動により、考え方を定着させ、自発的に規律が守られていくように誌向けていきます。従来のプロジェクトマネージャーのように「この作業はこの人がやる」といった決定や指示を行うことは考えません。

Section 3.3 日々の活動のあり方を追求するプラクティス

ここまで述べたように、アジャイルソフトウェア開発という言葉は、指針・考え方を総称しており、どのように実現するかは個々のプロジェクトやチームごとに検討します。プロジェクトやチームの性質を考えずに一律的なやり方を決めてしまうと、それはすでに「アジャイルではない」のかもしれません。実際には、前述したような原則を徹底するための活動の進め方が多数提案されており、「プラクティス」と呼ばれます。またひとまとめのプラクティスを含めて開発手法として定義することもあります。ここでは代表的なプラクティスをいくつか紹介します。

ユーザーストーリーマッピング

アジャイルソフトウェア開発においては、利用者にとっての価値を産むことを重視するために、ストーリーという形で要求を記述することがあります。さらに、それらのストーリーに対して優先順位を付けることで、「最低限の価値あるもの」であるMVPを定義したり、あるイテレーションで取り組む範囲を定義したりすることが必要となります。このため、「どのような場面で誰が何のために」ということを明確にしつつ、ストーリーの優先順位やMVPの範囲などをステークホルダー間で議論していくことが重要となります。

このためのプラクティスとして、ユーザーストーリーマッピングと呼ばれる手法があります。細かい部分は流儀により差がありますが、おおよそ図3.2のような構成の図を用います。この図の例では、ミーティング開催に関するストーリーについて、ミーティングの開催者と参加者という二つの立場から洗い出しています。図の上部では大きな流れとしてミーティングの呼びかけから開催までが左から右に時系列で並んでいます。ここではミー

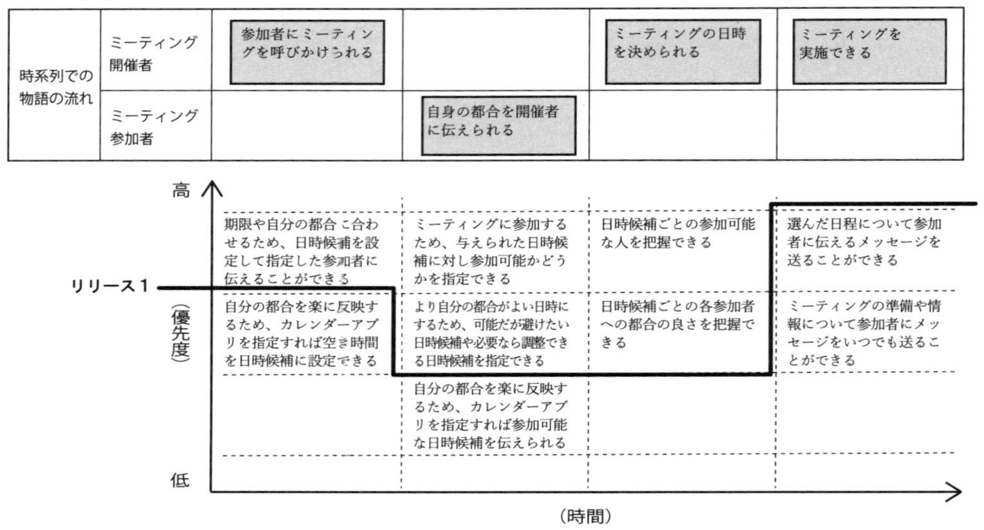

図 3.2　ユーザーストーリーマッピング

ティングの変更や取消、ミーティング資料の共有や議事録の支援などは省略しています。これらに対し、下部ではユーザーストーリー、つまり「ユーザーが○○できる」という形で要求が並んでいます。これは左右の時系列に合わせてあるとともに、優先順位が高いものが上に来るようにしています。これに対し、太い線で「ここより上にあるものを最初のリリースで作ることとする」という区切りを書いています。ステークホルダーが集まり、しばしば付箋を用いてこのような図を一緒に作っていくことで、開発の目的や優先順位（に関する最新の状況）を皆で共有できるようにします。

かんばん

かんばん、というのはまさに「看板」のことなのですが、特定のプラクティスを指す固有名詞として使われています。英語でも Kanban と呼びます。図 3.3 に示すように、かんばんとは、チームで共有されるタスク管理表のようなものです。図での例では、各タスクの状態が、「ToDo（取り組むと決めたこと）」、「Doing（取り組み始めていること）」、「Done（完了したこと）」のどこにあるかを示すようにしています。この例では、ユーザーストーリーに関する進捗状況を実装とテストという二つのタスクとして単純化して書いています。

図の例では「Doing」に（2）という数字が付加されています。かんばんではこのように流量制限を明示することがあります。アジャイルソフトウェア開発では、変化を歓迎すべきとするものの、「やりたいこと」「やっぱり変えたいこと」を無数にいつでも投げ込まれてしまうと活動が困難になってしまいます。このため現実的には、実際に取り組むと決めることは量の上限を設けます。もしそれでたくさんの「やるべきこと」が溜まっていってしまうのであれば、それを残業など過剰な工数をかけて無理にこなすのではなく、維持可能な適切な方法を考えます。例えば、苦戦しているところに他のメンバーが加わり問題解決を進めたり、顧客とストーリーの優先付けなどの議論を行ったりするといった対策をとります。

ToDo	Doing (2)	Done
不具合対応依頼01に対応する	ストーリー02に対応する実装を行う	ストーリー01に対応する実装を行う
ストーリー02に対する実装のテストを行う		ストーリー01に対する実装のテストを行う

図3.3　かんばんの例

コラム：トヨタにおけるかんばん

「かんばん」という言葉は、アジャイルソフトウェア開発が話題になるずっと前から、トヨタにおける生産方式でも使われています。組み立てを行う工場では、部品を一つ使うと部品箱に付いている「かんばん」を外します。組み立て工場で使った部品の数だけ「かんばん」を部品工場に届けることで、部品工場は後工程で必要な数だけ部品を作ることができます。つまり、部品工場側での見積もりにより多めに作ってしまい無駄が生じることがなくなります。トヨタでの「かんばん」は流れていく「カード」を指していた言葉ですが、アジャイルソフトウェア開発では「カード」の置き場を指す用語になっています。ただし、人から人に直接依頼をするのではなく、共通の場に「やるべきこと」の情報を残し、それらを担当者が随時引き取っていくというやり方は共通しています。

プランニングポーカー

アジャイルソフトウェア開発においては、チームの皆が経験を共有し、知恵を出し合うことを重視します。例えば、ユーザーストーリーによってかかる工数や難しさは異なるので、各ユーザーストーリーにその大きさを表す点数（ストーリーポイント）を割り当てます。このときの工数や難しさの判断には、特定のチームメンバーが持つ過去の経験が活きることがあります。「こういう機能にはこういう難しさがあり、正しいプログラムを得るまでに時間がかかる」といった経験則です。このときに、「このストーリーはポイント6とします、どなたか意見はありますか？」という進め方をすると何が起きるでしょうか。よくあるのは、自分の意見をよく口に出す人、強い口調で意見を言う人の意見が目立ってしまうことです。さらに、経験や専門性が異なる人の意見を聞くことによる学びの機会が得られないかもしれません。

プランニングポーカーは、「ゲーム」によって皆が意見を必ず出すように進めるやり方です。あるストーリーの実装に要するポイントを見積もるときに、一人一人が「5」「13」といった形で意見を用意し、同時に出します。その後、数字が一番大きかった人と一番小さかった人がそれぞれ、そのように考えた理由・意見を説明します。それらを踏まえて再度、一人一人が意見を用意するというところから繰り返します。他者の意見に納得して皆の意見が揃うまで繰り返しますが、そうならずに時間切れとなり、今回の開発対象に不確かさが高いことがわかる場合もあります。

一斉に全員が答えるというやり方により、一人一人が「まず自分の意見を考え、必要なら理由・意見を話す」ようにします。話し方の強さや控えめさで結論が決まってしまうようなこともありません。また、ストーリーを実装する上での難しさやリスクも、皆の経験と知恵を合わせることにより浮き彫りになります。なお、各自がポイントを表明する際には、フィボナッチ数（1, 2, 3, 5, 8, 13, 21, ...）など感覚がどんどん大きくなっていく数字を用い、各自の意見において見積もりの大小が明確になるようにします。

バーンダウンチャート

アジャイルソフトウェア開発においては、計画や進捗管理をしないのではなく、むしろイテレーションやその中の一日一日など短い期間を単位としてより緻密に行います。短い単位で計画や進捗の振り返りをすることで、取り組みをしてみてわかった難しさを考慮したり、チームにおいてやり方を変えるべきような点を挙げたりし、すぐにフィードバックと改善につなげていきます。また遅れが出ており、顧客との議論や意志決定が必要になるのであれば、そのこともすぐ把握できるべきです。もちろん、このような状況はチームの皆が把握できるようにするというのが、アジャイルソフトウェア開発の原則です。

バーンダウンチャートは日々の進捗を皆が見えるように図として提示するものになります。図 3.4 にバーンダウンチャートの例を載せています。横軸には日付がとられており、縦軸にはイテレーションやプロジェクト全体でこなすべきストーリーポイントなどの進捗指標に対し

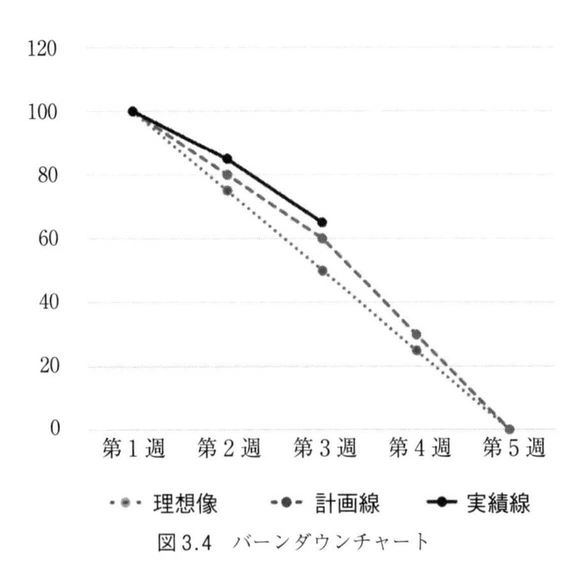

図3.4　バーンダウンチャート

て、一定速度で期間内に完了するような理想的な進め方を表す線、計画を表す線、現状（week3まで）の実績を表す線とを記載しています。この例では、計画線が理想線よりも最初は少し上にあります。つまり、week1やweek2においては少し進捗が遅いが、以降の後半で盛り返すような計画になっています。実状線は計画線よりもさらに上に来ており、計画よりも少し遅れていることを示唆しています。

このような記録をさらに累積していくことで、各チームがイテレーション内でこなせるストーリーポイント数の統計を取ることもできます。例えば、各チームが一日に完了させることができるストーリーポイント数の平均を求めることができます。これは各チームの「速さ」を表しており、実際に「ベロシティ」（速さを表す英単語）と呼ばれます。ベロシティを計測することで、チームにける改善すべき点に気づいたり、今後の見積もり精度を上げていったりすることができます。

ビヘイビア駆動開発

ビヘイビア駆動開発と呼ばれる手法では、ユーザーストーリーの記法を定め、ビジネスの意識と開発、テストを連動させることを狙っています。英語名称（Behavior-Driven Development）を略してBDDという略称で知

Feature: 口座利用者は現金を引き出す
Scenario: 口座に十分な金額がある
Given: 口座の残高が 10000 円
And: カードは有効なカード
And: ATM に十分な現金がある
When: 口座利用者が 2000 円の引き出しを依頼する
Then: ATM は 2000 円を出す
And: 口座残高は 8000 円になる
And: カードが返却される

図3.5　ビヘイビア駆動開発におけるユーザーストーリーの記述例

られています。

図3.5に、BDDにおけるユーザーストーリーの記述例を載せています。ある機能（Feature）の特定のシナリオ（Scenario）に対して、前提条件（Given）、トリガー（When）、起きるアクション（Then）が記載されています。プログラマ以外でも読めるような形式ながら、Given-When-Thenといった決まりを少しだけ設けることで、「ここにこういう内容を書くこと」というルールを与えています。

この記述はまず、ビジネス側の顧客や利用者にとって、この実現がビジネス上の価値につながるかを判断できるよう、利用者の立場で、一般論ではなく実感しやすい具体例として書かれています。さらに、この記述はそのままテストの定義にもなっています。Given/Whenの状況下で、本当にThenの部分に書かれたことが起きるか確認するというテストです。そうすると、このテストを通過するようなプログラムが得られれば、顧客や利用者にとっての価値が得られるということですので、このテストを通過すること（だけ）を目的として開発を進めることができます。このようにして、テストと連動するユーザストーリー記述を基にすることで、ビジネスの意識と開発、テストを連動させます。BDDは他にも、「具体例による仕様記述（Specification by Example）」や「ドキュメントとしてのテスト（Test as Documents）」といった原則でも説明されます。

他のプラクティス

他にも多数のプラクティスがあります。興味のある方は、プラクティスマップといった単語（日本語または英語）で検索していただくと、多数のプラクティスの分類や関係性を、地下鉄地図のような形で整理した情報が見つかると思います。ビジネスに関する分析やプログラミングの進め方など、異なる種類のプラクティスを異なる路線として整理した図になります。

他のプラクティスの例としては、ビジネスや解こうとしている問題に関する共通理解や分析につながるものがあります。インセプションデッキと呼ばれる手法では、「お隣さん（似て非なる既存事例）はどれ？」「やらないと決めたことは何？」といった問いが10個用意されており、顧客とエンジニアの双方を含めたチームにおいて、プロジェクトの価値や位置づけを明確にします。問いに答えていくことでチームの「決起宣言」ができることになります。

プログラミングの進め方に関するプラクティスとしては、ペアプログラミングがあります。二人でペアになり、一つの画面を見ながら一緒にプログラム作成を進めます。一人が書いてもう一人が調べ物や確認、助言を行うナビゲーターとなる、役割は入れ替わっていくといった進め方になります。一人の思い込みで進めるようなことなく、二人の経験・知恵を合わせたプログラム作成を行うとともに、互いに学びを得ることもできます。これをさらに多人数で行うモブプログラミングという手法もあります。

Section 3.4 アジャイルソフトウェア開発の難しさ

ここまでアジャイルソフトウェア開発の原則やプラクティスを見てきました。ソフトウェア開発に限定した話ではなく、チームで何かを達成するときに考えるべきことという話が多くあります。読者の皆さんも、過去の経験から、このようなプラクティスのねらいがよく実感できたり、逆にうまくいかない状況をイメージしたりすることができたかもしれません。以下ではアジャイルソフトウェア開発についてよく言われる難しさについて述べます。

不確かさと向き合う力

まず第一に、動くソフトウェアを一部だけでも早く送り出して価値につなげていくことは、ソフトウェア開発を行う立場からは非常に難しいことです。MVP に関する例では、自動車を作ることを目指してタイヤなどの部品を作っていくのではなく、最初は「移動する」という最重要なニーズに応えるためにスケボーができる、という話がありました。最終的には車が必要とされ作られていくわけですが、結果論としては、スケボーは一時的に活用されるものであり、その部品は車には再利用できないものになっています。これは作る側は非常に大変なのはもちろん、開発費用を出す顧客も、不確かさを踏まえて「現時点でのベスト」（にすぎないかもしれないもの）にお金をかけるのだ、という意識が必要です。この点については、近年では一つの考え方として応用分野によっては当たり前になってきています。

さらに、変化を受け入れることというのも、ソフトウェア開発を行う立場としてはとても難しいことです。本書ではデザインパターンなど設計の考え方を紹介しましたが、基本的には「こういう変化がある可能性を見据えて、その変化に応じて部品を差し替えられるように部品を分けておこう」という進め方になります。元々想定していなかったような変化を受け入れ対応することは、多大な労力と時間を要する可能性があります。

このように、動くソフトウェアとして少しでも価値を届け続けることや、変化に柔軟に対応することは、その難しさや大変さを受け入れることや、目的に応じて都度変わっていき、必ずしも最適でないような状況に対処できるような高い技術力が必要となります。

チームの協働

アジャイルソフトウェア開発は対話を重視しており、かんばんやバーンダウンチャートなどは、チーム全体の目に入る大きな貼り紙を想定していることが多いです。全員がプロジェクト全体のこと、イテレーション全体のことを理解して進めているような想定です。このため、高々10人程度の少人数でこなせる規模のプロジェクトを、物理的に一箇所に集まって進めることを想定しています。

さらに、チーム協働の理想を追及しており、チームメンバー全員に高い意欲と能力があることを想定しています。本来対話と協働が必要だということを重視しているので、「指示されたことだけ最低限、誰とも話さずにコツコツとやりたい」というような人には少し辛いかもしれません。また、一部品だけできるということを大きな進捗とは考えないので、ユーザーストーリーを実現するために画面からネットワーク、データベースまでを一気通貫に扱う必要があります。また、チームメンバー同士助け合ったり、休みのメンバーの代わりになったりできることを重視しています。すると、「全員が何でもできる」ことが前提になります。この点は多能工やマルチスキルといった言葉で説明されます。

注意深さが必要な品質

セキュリティなど特定の品質については、システム全体において一貫して注意深く、脆弱性を埋め込まない作り方をすることが求められます。このようなケースでは、「とりあえず動くもの」のような作り方をするべきではなく、セキュリティを考慮した全体設計など計画に基づいて進める必要が生じます。

Section 3.5 アジャイルソフトウェア開発の発展

ここまで述べたように、アジャイルソフトウェア開発の登場により、顧客や利用者の価値を中心に置いたり、日々の活動を考えたりすることの重要性が広く認識されるようになりました。一方で、従来の計画や役割分担に基づくウォーターフォール型の開発プロセスにもいいところが当然あります。このため実際には、双方を融合するようなアプローチが追求されています。例えば、システム全体の要求がぶれないようにしっかりと定義、合意したり、システム全体を見据えて設計を注意深く検討したりするような上流工程はウォーターフォール型のように時間をかけてしっかりと行い、詳細度が高い設計や構築、テストはアジャイル型のように反復的に行うといった考え方があります。

またアジャイルソフトウェア開発を大規模に活用したいというニーズもあります。ここでの大規模とは二つの方向性があります。一つは単にシステムの規模が大きいということです。この場合は、複数チームが並行して開発を進めるものの、イテレーションごとの達成目標設定や技術的な意志決定についてはチーム間で共有、協働するような形が考えられます。もう一つより重要な方向性として、システム開発というよりも、組織が挑む大きな価値創造や課題解決に対してアジャイル型での取り組みを行っていくというものがあります。例えば、ポートフォリオと呼ばれるような組織が取り組むべきことをかんばんで管理しつつ、その一つ一つがそれぞれシステム開発のためのより詳細なかんばんにつながっていくような階層型をとることで、組織として大きな規模の課題に取り組んでいくことが考えられます。

第 4 章　機械学習型 AI ソフトウェア

Section
4.1 機械学習による AI ソフトウェア開発

2010 年代後半の第 3 次 AI ブームにおいては、AI、すなわち人工知能技術の産業応用が盛んに進められるようになりました。「AI」という語は、知的な機能を持つソフトウェア全般を指す広い言葉で、様々な技術を含みます。第 3 次 AI ブームにおいて主流となったのは、機械学習と呼ばれる技術により実現された AI ソフトウェアです。機械学習では大量のデータから規則性や知識を得る技術です。

例として、写真画像を受け取ってそこに写っているのが犬か猫を見分けるという分類タスクを考えてみます。機械学習、正確には教師あり学習という技術を用いる場合に機能をソフトウェアとして実現する流れを図 4.1 に示します。まず様々な犬か猫が写った画像を集めてきます。そして、各画像における正解、すなわちその画像が犬なのか猫なのかという情報（ラベル）を各画像に付けます。今作りたいと考えている画像分類という機能に対して、入力となる画像と正解となる出力の具体例となるペアをたくさん集めたことになります。機械学習技術では、このようなデータを基に、入力から出力をうまく計算する方法、つまりプログラムを探り出します。このことを訓練あるいは学習と呼びます。今回の例では、得ら

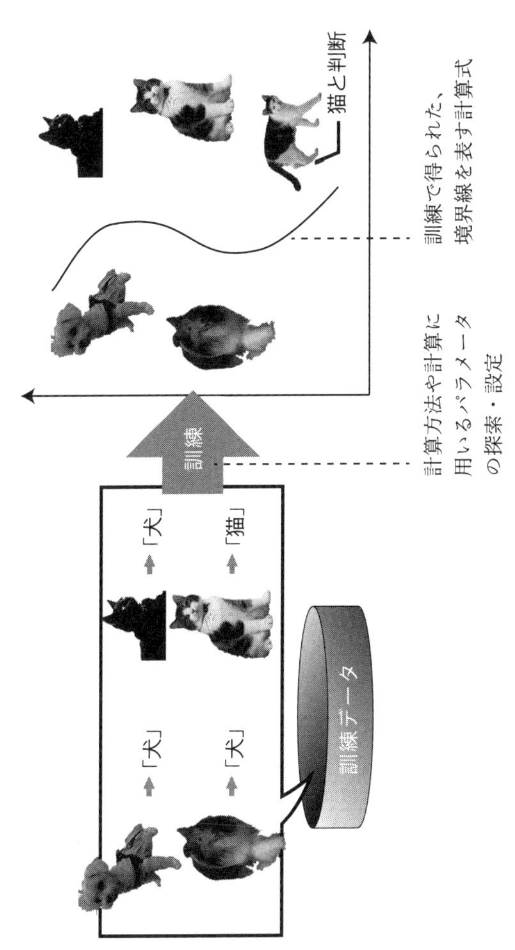

図 4.1　機械学習技術を用いたソフトウェアの構築

れたプログラムは画像形式の入力データに対し、犬か猫かを区別する境界線となる計算式を表現しています。これに対して図の右下にあるように、新たな画像が入力として与えられると、訓練で得られた境界線に従い犬か猫かの判断を行います。機械学習技術により構築したAIも、プログラムの形として動作するソフトウェアです。機械学習技術は、これまでと異なる方法でソフトウェアシステムを開発する方法であると見なすこともできます。

機械学習の技術は古くより取り組まれてきましたが、画像や文章のような複雑なデータに対しては正解率が高々70%台に限られており、実用性は限られていました。2010年代には、深層学習と呼ばれる技術により、それらのデータに対する推論が高精度、問題によっては95%を超えるような正解率にて行えるようになりました。画像認識であれば、自動車における障害物や標識、レーンの検出、工場における不良品の検出、顔認証といった応用があり、産業において欠かせない機能となりつつあります。

機械学習によりAIを構築する最も大きな利点は、機械学習でなければ実現できない機能を扱える点です。画像を受け取って犬か猫か見分けるプログラムを従来の方法で作ろうと思うと、その見分け方を開発者が処理手順（アルゴリズムと呼びます）を書き下す必要があります。しかし我々は、犬と猫の見分け方を言葉に出せません。もしも「鼻を見ればわかるはず」と考えたとしても、そもそも画像の中で「鼻」はどうすれば見つけられるのか、犬と猫の鼻の違いは具体的にどういう判断基準で表せるのか、と続いていきます。たとえ何かしら手順が書けたとしても、おそらく様々な姿勢や角度で必ず当てはまる手順にはならないでしょう。機械学習ではこのように、人の言葉や数式で手順を書き出せないような規則性を、ソフトウェアの機能として実現することができます。

なお、AIというと、2022年後半に現れたChatGPTなど生成AIを思い浮かべる方もいるかもしれません。本章ではまずChatGPT以前に盛んに議論されていた、そしてChatGPT以降も変わらず重要である、教師あり学習による機械学習型AIについて議論します。ChatGPTなど対話型生成AIについては5章で論じます。

Section 4.2 教師あり学習

簡単な例

簡単な例で教師あり学習の仕組みを見てみましょう。ある会社において、過去のデータを踏まえて年齢xから給与yを予測するというAIを作るとします。図4.2の左上にあるように、訓練データとなる過去のデータがあるとします。この会社では、年齢が上がると、職務や業績などにかかわらず給与が上がることが見てとれます。もちろんこれは説明のために作った例です。

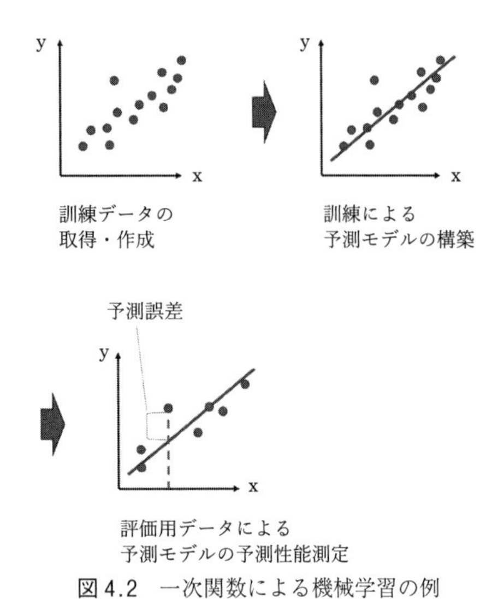

図 4.2　一次関数による機械学習の例

この過去のデータから予測の計算式を作るときに、まず年齢 x と給与 y の関係は、一次関数あるいは比例の関係、グラフ上では直線で表されると仮定してみます。すると、$y=ax+b$ という計算式の形になるはずで、ではパラメーター a と b をどう決めるかという問題になります。これらのパラメーターは訓練データに対して誤差が一番小さくなるように決めればよいわけです（図 4.2 の右上）。機械学習の分野では、この計算式のことをモデルと呼びますが、ソフトウェア工学の用語と混ざってしまうので本書では予測モデルと呼びます。このように、計算式の形を決める予測モデルを定め、訓練データを基にパラメーターの値を設定するというのが、教師あり学習の基本的な仕組みです。

得られた AI、具体的にはパラメーターの値が設定された訓練済みの予測モデルの評価は、図 4.2 の下にあるように、評価用のデータを用意して行います。今回の例の場合は数値を予測する問題なので、予測した数値が正解とどれだけ離れているかを調べることによって、予測性能を点数として評価することができます。この評価用のデータも、過去のデータを用いるのでしょうが、訓練データとは異なるデータである必要があります。入力と出力の間の一般的な規則性をうまく学習した訓練済みの予測モデルであることを評価したいからです（汎化性能が高いといいます）。逆に、訓練データに対して「丸暗記する」「訓練データの変なノイズまで学ぶ」ような訓練モデルは避けたいのです（過学習が起きているといいます）。

なお、実際には年齢だけで給与は決まらないので実際の予測にはもっと多数の入力が必要でしょう。また年齢に対して比例関係、つまり一定割合で増え続けるようなこともないでしょう。実用的な機械学習型 AI では、一次関数ではなくより複雑な計算構造を予測モデルとして用います。上の一次関数での例では二つのパラメーターの値を訓練により調節しましたが、現在では数百万あるいは数千万といった数のパラメーターを含むような予測モデルも多く使われています。

知能？

AI、人工知能という何かすごい言葉が使われますが、あくまで計算式をうまく作る仕組みだということを見てきました。この仕組みを複雑にして大量のデータで訓練を行うことにより、驚くべき機能が実現できるようになっています。とはいえ、この仕組みがわかると、以下で述べるような限界点が当たり前だということがわかります。

年齢から給与を予測する訓練済みの予測モデルに対し、年齢として1000を入力するとどうなるでしょうか。「1000歳の人間なんていないよ」と言ってくれるわけではなく、得られた計算式に当てはめて給与が予測されるだけです。もちろん「入力が120以上ならエラーを返す」という、従来の方法で作られたプログラムを付加することはできますが、訓練済みの予測モデル自体が何か「賢さ」をもってうまく答えてくれるわけではありません。

これと同じことは、訓練データに含まれていないような入力に対しても起きます。60代の場合は給与の傾向が異なる場合に、訓練データ内に60代に関する入出力の例が入っていなければ、その傾向は学習できません。この場合も「わからない」と答えてくれるわけではなく、他の年代に関する訓練データから構築した計算式を機械的に当てはめて予測がなされます。その結果全く合わない予測結果になるかもしれません。このように、機械学習型AIは、訓練に含めていないような入力（外挿と呼びます）に対して適切に対応できません。

もしかしたらドラえもんや鉄腕アトムなどのイメージでAIという語が一人歩きし、実現できる「賢さ」の種類があいまいに受け取られていることがあるかもしれません。技術的な特性を理解して活用していく必要があります。

コラム：深層学習

現在の第3次AIブームは、深層学習あるいはディープラーニングと呼ばれる技術に牽引されています。深層学習は機械学習の技術の一種であり、画像や言語などの複雑なデータを扱う場合には基本的には深層学習が用いられます。深層学習では、図4.3にあるような構造の、深層ニューラルネットワークと呼ばれる予測モデルを使います。図に丸で描かれている部品はニューロンと呼ばれます。この図では、左から右に計算が進むようになっており、ニューロンは縦に「層」として並んでいます。この層が多い（階層が深い）ので、深層学習と呼びます。

各ニューロンは、その左側にある前の段の全ニューロンから受け取った値をうまく合わせます。例えば「1個目のニューロンから来た値は0.8倍し、2個目のニューロンから来た値は0.2倍し、……最後にすべて足し合わせる」といった計算をし

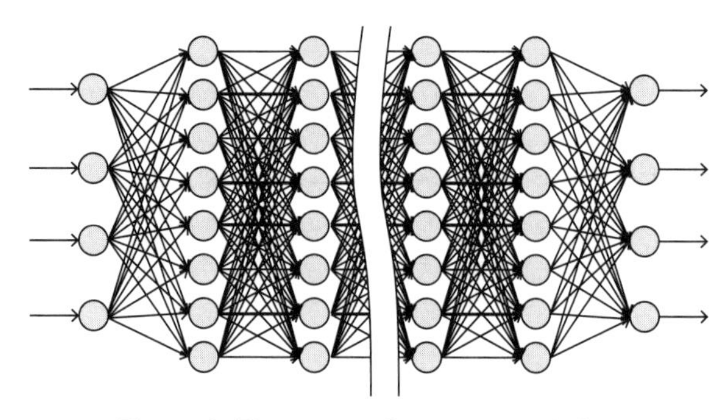

図 4.3　深層ニューラルネットワークの概念図

ます。ここでの 0.8 や 0.2 といった数字が、訓練で設定するパラメーターになります。各ニューロンの計算は単純なものの、何の意味があるかは読み取れません。しかし、これを数百、数千と重ね合わせ、大量の訓練データでパラメーターを設定することにより、画像や言語などの複雑なデータに対して分類や予測の機能が高い正解率で実現できるようになりました。

従来ソフトウェアにおいては、プログラムの一つ一つの行においてそれを書いたプログラマの意図がありました。深層ニューラルネットワークでは、訓練を通して得られた計算が複雑・大量すぎていったい各箇所で何が計算されており、どうしてうまくいくのかがわかりません。そういった特徴を持つものをプロダクト・サービスとして送り出すという点が、現在の AI に対する難しさにつながってきます。

Section 4.3 機械学習工学

機械学習型 AI の開発が盛んになるにつれ、開発の効率や安定性、得られた AI の品質など、従来のソフトウェアのように「工学」を考えるニーズが非常に高まってきました。一方でここまで述べたように、従来ソフトウェアとは異なる特性を持つため、これまでのソフトウェア工学の原則や知識、技術がそのまま使えないことも出てきました。これらの背景から、2018 年頃より機械学習型 AI のための工学として、「機械学習工学」や「AI 工学」といった学問・知識の領域が提起され盛んに取り組まれるようになりました。本書執筆時の 2023 年においても、機械学習型 AI のためのソフトウェア工学技術は非常に盛んに研究され続けています。

興味深い点として、日本では機械学習型 AI の品質に関するガイドラインが世界に先駆けて、いち早く二種類公開されました。製造業や金融業、自動車業など高い品質が求められる業界に機械学習型 AI を送り出すというニーズが高かった、あるいは品質へのこだわり、もしかしたらリスク回避指向が高かったのかもしれません。ガイドラインが二種類となったのは、国のプロジェクト主導で、標準化を目指して規範的だが抽象的なガイドラインを作るプロジェクトと、具体的な技術や活動に関するガイドラインをまとめる技術者の有志団体とが同時に取り組んだためです。AIQM ガイドライン、QA4AI ガイドラインとそれぞれ呼ばれるこれら二つのガイドラインは、現在でも互いに連携しながら定期的な更新を続けています。これらのガイドラインについては後ほど詳述します。

以降では、従来ソフトウェアと比べて、機械学習型 AI にはどのような違いがあるか、その結果ソフトウェア工学の原則や知識、技術にどのような影響があるかを論じていきます。

Section 4.4 データ中心

従来は、「イートインの場合は消費税率 10% を適用して税の値を計算し、その際の端数は切り捨てる」というように、処理の順序や場合分けを要求仕様として定めていました。機械学習を用いる場合、実現したい機能を具体例を集めたデータとして表現します。このため、ドメイン分析・要求分析と、データの収集や分析、準備処理、評価が強く結びついてきます。訓練データによって AI が構築されるだけでなく、評価もデータに対する正解率等で評価するため、訓練データと評価データ両方を含めてデータの品質が非常に重要となります。

ここでのデータの品質としては、多様な側面があります。単純には、画像に対して「写っているものは犬だ」と与えた正解ラベルに誤りがないかといったことが当然あります。しかし最も重要なのは、訓練により学ばせたい、つまりうまく処理させたい対象や状況が十分にデータに含まれているということです。犬であれば、柴犬やマルチーズなど、認識させたい犬種が一通り含まれているようなデータなのか、正面や側面、色、背景などについてはどうか、といったことが挙げられます。究極的には、AI をシステムとして運用し続けたときに運用時に想定されるデータの散らばりや傾向と、訓練や評価で使ったデータの散らばりや傾向が似ているか、という問いになります。

大量の Web 上のデータを訓練データとして集めるような場合などは、自然と「集めたデータ」と「運用時に現れるデータ」が類似してくるでしょう。一方で、特定の工場内でのデータを収集したり、自動運転のように膨大な状況があるデータを収集する場合は、データの傾向や属性について注意を払う必要があります。過去の傾向と現在、あるいは AI を使い続ける将来の傾向が同じなのかという問いもあります。売上げ予測などの場合、訓練に用いる過去の売上げデータにおける傾向が、近隣環境の変化等により現在とは異なるものになっている可能性があります。そういった場合、過去のデータを基に訓練した AI により、現在の売上げ予測を正しく行うことは難しくなってきます。

ソフトウェア工学の拡張

機械学習型AIに対するドメイン分析や要求分析は、データが持つべき多様さの分析や評価と強く結びつきます。処理手順を整理するのではなく、ときには膨大な実世界の中で「どのような対象・状況をカバーしたらよいのか」を分析、整理する必要があるため、明確な正解のないあいまいな問いとなるとともに、どうしても「完全にはやりきれない」「誰も100%の自信は持てない」ことが前提となってきます。さらに、要求はデータの形で表現をしていく必要があります。「霧の山道でも道路標識を正しく識別できる」という要求を出すのであれば、手元に持っている画像の中で、どの画像が「霧」で「山道」なのかを区別する情報を付ける必要があります。あるいはそういう画像がないのであれば収集してくる必要があります。こういった作業はとても工数がかかるので、むやみやたらに「この状況も、あの状況も」と理想を掲げるだけでは不十分で、価値やリスクの観点から重要なものに絞り込んでいく必要もあります。

もちろん、データに関する原則や知識、技術も必要になってきます。例えば、大量のデータを効率よく処理するための設計、非常に時間がかかる訓練を効率よく行ったり、途中で止めて再開できるようにしたりするための設計といった考え方は、すでにデザインパターンとして整理されています。従来のソフトウェア工学では、データが主役になることはあまりなかったのですが、機械学習型AIの開発ではデータを重要な中間成果物として扱っていく必要があります。

発注者・利用者への影響

データの品質に責任を負うのは、開発組織ではなく、企画や発注、利用を行う組織となることが多くあります。例えば、工場での製品画像に対する不良品かどうかの正解ラベル付けは、AIを活用しようとする製造業の企業における専門家が行う必要があります．売上げ予測に用いる過去の売上げデータは、AIを活用しようとする小売業の企業がこれまで集めてきたものを用いるでしょう。過去の売上げデータの取得方法が途中で変わっていたり、抜けているデータがあったりすると、AIが学習すべき規則性がうまく表現されていないデータになります。また、過去の雇用判断データでは、男女差別や人種差別が多く、現在の基準では不適切な判断基準になっているようなこともあるかもしれません。機械学習型AIの開発においては、データの収集や準備に関して、開発組織だけでなく、企画や発注、利用を行う組織が追うべき責務が非常に大きい場合があります。

コラム：問題分析やデータが不十分であった事例

緊急車両が関わるシーンにおいてテスラの自動運転車の事故が多いことが問題視され、アメリカの運輸保安局からの調査が行われています（本書執筆時の 2023 年半ばではまだ調査中）。緊急車両や、発煙筒や停止表示板などの検出対象や、平常時とは異なる場所に停車車両があるような状況について、訓練・評価のデータを整備することが不十分だったのかもしれません。この問題は、自動運転車に含まれる機械学習型 AI の話だけではなく、車全体のデザインの話です。とはいえ、機械学習型 AI により扱おうとする、実世界の問題分析が不十分であった例であるとも言えるでしょう。運輸保安局は、テスラだけでなく、運転支援機能を扱う自動車企業に対して、現状の調査を行っています。当然ながら、人命や社会への影響が大きい領域では、機械学習型 AI の開発に用いられたデータの品質についても責任を問われるようなことがあり得ます。

機械学習型 AI が扱おうとする実世界の問題に対してデータが不十分であった例として、顔認証における課題がよく知られています。顔認証 AI のプロダクトにおいて、訓練に用いたデータに偏りがあり白人男性が多かったために、白人男性での正解率とそれ以外での正解率に大きな差があることが指摘されました。想定される入力の多様性に対して訓練データが不十分であったという例になります。なおこの事例は、技術的には単に「データの偏りによる正解率の差」ですが、「差別的な AI である」ともとらえられる例であり、倫理的・社会的な批判を受けました。この点については後で詳述します。

Section 4.5 振る舞いの不確かさ

機械学習を用いた場合、最終的な製品として送り出されるソフトウェアは、訓練により振る舞いが自動設定されたものです。つまり従来ソフトウェアのように、どのような規則でどう振る舞うのか、開発者が直接指示したものではありません。それどころか、深層学習など予測の計算構造として複雑なものを用いた場合、訓練により得られた振る舞いは理解・解釈ができないものとなります。手元にあるデータに対しては、「これだけの割合で正解できる」「この入力では失敗する」といった具体的な評価ができますが、一般論として規則性を把握することは困難です。犬と猫を見分ける境界線（を表す計算式）を訓練で構築するという例を挙げましたが、この境界線は複雑でどういう意味を持つのかを解釈するのは難しいのです。

機械学習型 AI では、必ず正解を出すようなことは基本的にできないというだけでなく、どういう場合に不正解となるかについて規則性を見いだすことも困難です。例えば、「背景が雪のときは写っている動物は必ずオオカミ」であるという規則性を学んでしまっているかもしれません。これにより背景が雪である他の動物の画像に対しては間違った判断をしがちとなるかもしれません。この一例はあくまで説明のための極端なものであり、実際には判断基準は言葉にできません。画像内の点について、色を見ているのか、ツヤを見ているのか、形を見ているのかを言葉に出して理解、解釈することは困難です。このため、「何も難しくなさそうなのに、なぜかこの画像では判断を間違う」というようなこともあり得ます。

極端な場合、画像に対して数個小さな点を塗り足すだけで、人の目から見ると全く何も変わらないように見えるにもかかわらず、認識結果が変わることがあります。訓練データの中で、「顔の横に緑の点があったらパンダ」ということがたまたま多く、その規則を学んでパンダの判断に使っている可能性すらあり、すると小さな点で認識結果が変わることがあり得るということです。この問題は入力データに微小な細工をすると出力結果が変わるという事象は敵対的サンプルと呼ばれ、深層学習など近年の複雑な予測モデルで起きる問題としてよく知られています。

コラム：敵対的サンプルの事例

敵対的サンプルは、実世界に存在する自然なノイズで起きる可能性もありますが、悪意ある攻撃者による細工で起きる可能性もあります。敵対的サンプルによる攻撃を実証した事例としては、道路標識に色付きのテープを貼ることで標識の内容を誤認識させたものがあります。また道路上にステッカーを貼ったり、ドローンから道路に画像を投影したりすることで、テスラの自動運転車を直線の道路で曲がらせたという事例もあります。さらには、特別な眼鏡をかけることで、顔認証を誤認識させ、別の人間だと認証させたような事例まであります。機械学習型 AI を書き換えるなどの不正アクセスにより問題が起きるわけではなく、入力に細工をする形であるため、悪意ある攻撃が簡単だという懸念があります。

もちろん、敵対的サンプルに対しては様々な対策が提案されていますし、何の情報もなしに「狙った形で間違えさせる」ことは通常はできません。スパイ映画のように、眼鏡をかけるだけで特定の人になりすましビルに侵入するようなことは、顔認証 AI の構築に用いられた訓練データなど不正アクセスで開発内部の情報が漏れていなければあり得ないでしょう。

ソフトウェア工学の拡張

機械学習型 AI における振る舞いの不確かさは、やはり信頼性などの品質を考えたときに大きな影響をもちます。従来のソフトウェアは要求仕様で定まったルールで動作しています。このため、「コーヒーをイートインで注文したときに、消費税を含めて正しい金額を計算できた」というテストが成功したなら、「コーヒーでなく紅茶だと間違えるかも」とはあまり考えません。同じルールに則って動作する規則性があるはずだからです。このように従来のソフトウェアでは、規則性を踏まえて、必要最小限のテストを設計することを考えていました。

機械学習型AIの場合、訓練データや評価データに含まれず、試していない入力データに対しては、正解となるか不正解となるか、基本的には確信が持てません。もちろん、正解した既知のデータに近い入力は、同じように正解できる傾向は十分あり得ますし、そのような性質を担保するような技術も追及されています。いずれにしても、評価データの品質、特にドメイン分析・要求分析と関連して述べたような多様性、想定する対象・状況をどれだけカバーしているかが非常に重要となります。

発注者・利用者への影響

機械学習型AIには、従来ソフトウェアとは異なり、振る舞いの不確かさがあります。発注組織の偉い人が、構築された後のAIの評価結果を見て「100%当ててくれないと意味がない」と言った、という話があります。これは、技術としてのAIを理解している人からすると、あり得ないことを言う人という笑い話ですが、しかし当事者としては笑えない話です。AIの振る舞いの不確かさや性能限界については、開発者だけでなく、企画や発注を行う組織の側、そして利用者の側も理解する必要があります。リスクは決してゼロにならないというのは、従来ソフトウェアでも何の話でもそうなのかもしれませんが、特に機械学習型AIの場合は、その点を当然として「失敗する場合があっても総合的に大きな価値を産む」といった判断、意志決定をしっかり行う必要があります。

Section 4.6 実現可能性の不確かさ

機械学習型AIにおいては、正解率などの予測性能が重要になりますが、どれだけ高い予測性能を出せるかは試してみるまでわかりません。つまり、AIを作ろうとして社内で開発組織を立ち上げたり、他の企業に外注を行ったりする時点では、「90％以上正解するものを作ること」という努力目標を定めることはできても、法的責任につながるような契約での確約はできません。

このような不確かな状況で大きな時間・金額をかけて開発を行っていくのはリスクが高いため、通常は概念実証と呼ばれる「お試し」の段階を設けます。概念実証は、英語でのProof of Conceptの訳で、それを略したPoCという語が広く用いられています．概念の実証というとピンとこないかもしれませんが、AIによりビジネスの課題が解決される・価値が産まれる、という仮説の実証を行うと考えるとわかりやすいでしょう。限定的なAIを開発して評価することにより、本格的な開発に移るべきかを評価します。

PoCでは限定的な開発と評価を行います。例えば、正解率など予測性能が評価できれば十分で、わかりやすい操作画面はPoCの時点では開発する必要がないかもしれません。また、主要な状況においてAIが十分に正解できることを確認し、それだけでもビジネス上の価値を産むということを確認するにとどめ、多様な状況に対するデータ収集やAIの訓練・評価はPoCでは行わないといった方針も考えられます。

コンビニの売上げ予測であれば、賞味期限が短い食品についてだけ、十分な正解率で売上げ予測ができるか、ということをPoCで実証する仮説とするかもしれません。賞味期限がある食品に対して過剰な発注をしてしまうと、廃棄となってしまいビジネス上の損失となるため、これを防ぐことができれば、AIの導入による最低限の価値は実現できると考えるということです。

PoCによって、AIプロダクトのコンセプトや位置づけが変わるようなこともあり得ます。図4.4上部のように、工場において製品の不良品検出を完全にAIに任せて、人間を割り当てなくてよいようにしたい、と考えたとします。しかし実際にはPoCを通して、見落としも誤検出も少ないAIを構築できなさそうだとわかりました。このときに、AIのチューニングとして、「誤検出は多いけど、見落としは十分に少ない」ものならば作れるということは十分あります。厳しめに審査するようにすることで、不良品の見落とすことを減らし、一方で正常

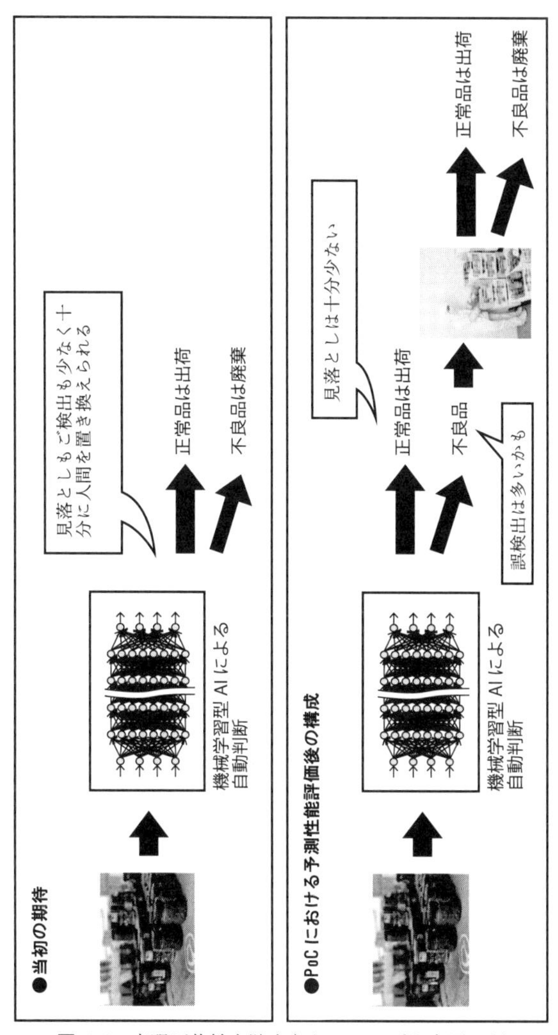

図 4.4　実現可能性を踏まえたコンセプト変更の例

なものを不良品といってしまう誤検出の増加を受け入れるということです。そうすると、「AI が不良品だと判断したもの」に対して、最終判断する人間は必要になりますが、すべてを人間が検査するよりは人件費を減らす、あるいはベテラン職人への依存性を減らすことができます。このように、要求の実現可能性が試してみてはじめてわかるため、PoC 後に要求を妥協し代替案に切り替えるようなことがあり得ます。

さらに、PoC における本格的な開発においても、実現については試行錯誤が発生します。異なる訓練手法や予測の計算構造、訓練に関連する詳細な設定、どのようにすれば最も予測性能が高くなるかはわからないので、試してみて評価することの繰り返しとなります。場合によっては、追加の訓練データを集めることになるようなこともあるかもしれません。

ソフトウェア開発は本来、企画や発注、利用を行う組織と、開発を行う組織が協調し、組織やビジネスの「よりよいあり方」を探るべきものです。特にアジャイルソフトウェア開発は、「何をやったら価値につながるのか」の不確かさに対処するため、短期間での反復を行いました。機械学習型 AI の場合は特に、実現可能性に関する手探り、作ろうとしてみて初めてわかるという側面が大きくなってきます。アジャイルソフトウェア開発の想定とはやや異なることも多く、データの収集や整備という利用者の価値に直接はつながらない下準備に多大な時間をかける必要があったり、「作ろうとしたけどうまく（予測性能が高いものが）作れなかった」という反復が多くなったりします。

ソフトウェア工学の拡張

ここまで述べたように、機械学習型AIではPoCの工程を含める場合が多くなってきます。ここで重要となるのは、ビジネス上のゴールや価値を表す指標と、予測性能などの技術的な評価指標を連動させて分析、意志決定を行うことです。もちろんこれは従来ソフトウェアでも重要ですが、機械学習型AIでは特に、不完全でリスクがあるものに対して価値を見いだし取り組むと決めていくという難しさがあります。企画や発注、利用を行うビジネス側の組織と、AIの構築や評価を行う開発組織との協働の仕組みや、価値とリスクを分析するような仕組みがますます重要になります。このような仕組みは、PoC工程だけでなく、AIを構築・評価してみてわかったことからビジネス側の理解、判断や意志決定につなげていくような、継続的な取り組みにおいて活用していく必要があります。

発注者・利用者への影響

企画、発注を行う立場としては何よりも、不完全である機械学習型AIが、どれだけの予測性能でどれだけのビジネス上の価値につながるのか、分析や仮説立案をしっかりと行う必要があります。従来のソフトウェアにおいてもこの点は重要ですが、従来は、人手では大変な予約や計算の処理を自動化することにはある程度の価値や必要性がありましたし、ソフトウェアは基本的には常に正しい処理を行うものと想定できました。機械学習型AIの場合は、理想・想定通りの予測性能が得られないような場合にも、都度開発組織側と議論をし、理解、意志決定を行っていくことが必要不可欠になります。ある程度未知の要素が多く、開発といっても「実験」と呼べるような手探りな部分があり、準委任契約のような形式で開発組織と一緒に努力していくことが重要となります。

Section 4.7 変化の強い影響

従来のソフトウェアにおいても、動作環境の変化や不具合修正などのために、保守と呼ばれるリリース後の活動が必要となる場合が多くありました。機械学習型AIでも同様な保守はあり得ますが、それよりもデータの傾向変化を監視し対応することが必要不可欠になります。機械学習型AIでは、訓練データから何かしらの規則性、予測方法を得ているため、それらが当てはまらないようなデータが運用時に現れると、予測性能が下がってしまうためです。

まず、入力の範囲や傾向が変わる場合を考えてみます。逆に言うと、今まで正解だったものが不正解になることはないものの、訓練時にあまり扱っていないような入力が現れる場合です。このような変化をデータドリフトと呼びます。例えば、銀行で手書き文字の読み取りを行う機械学習型 AI を構築し、運用していた状況を考えてみます。訓練時に用いたデータは、ほぼ日本ネイティブの人たちが書いた手書き文字でした。運用をはじめた最初の時期には、利用者もほぼすべて日本ネイティブでしたが、運用が広がるにつれ、外国から来た人が多い地域でも利用されるようになりました。すると、数字の書き方などは文化により異なるので、訓練データには含まれないような書き方の文字が入力として多く現れるようになりました。このような場合、予測性能、つまり文字の読み取り精度が下がる可能性があります。

データドリフトの例は、他にも多数あげることができます。自動車での歩行者検知機能や、店舗での行動把握機能などでは、新型コロナウイルス流行以前に集めた訓練データではマスクをしている人がほとんどいなかったかもしれませんが、その後の運用ではマスクをしている人が多数現れるようになったことでしょう。工場においてカメラ写真を基に不良品を判別している際に、カメラや照明、窓を変えた結果、入力される画像の傾向が変わるようなこともあります。

次に、入出力の関係性、つまり何が正解で何が不正解かが変わるような場合もあります。このような変化をコンセプトドリフトと呼びます。例えば、「7月上旬で天気が晴れ、予想最高気温が 25 度だとアイスがこれだけ売れるはず」といった売上予測を考えてみます。このような予測は、近所に競合店ができることで傾向が変わり、「正解」となる値が変わるような可能性があります。ソーシャルネットワークでのつぶやきの適切さを判断する際に、以前は問題なかったようなものが、事件や世論の変化を受けて不適切と変わるようなこともあり得ます。コンセプトドリフトが起きる場合は、データドリフトよりは限られており、そもそも最新の傾向を学び続けなければならないような応用事例であることもあります。

これらのドリフトを考慮する際に重要なのは、運用時には「不正解が多くなっている」とわからない場合もあることです。例えば、自動車が「歩行者がいる」と検知したときに、それが正解かどうかは、別の仕組みで確認するまでわかりません。画像を後から人間が見て正解ラベルを付けて、それと照らし合わせて正解・不正解を判断する必要があります。株価予測などの場合、予測の数秒後には真の株価を自動取得して予測が正解だったか判断できますが、多くの場合、運用中には真の正解が得られず、ゆえに正解率など予測性能を測ることもできません。このため、入力の範囲や傾向が変わっているかどうかを見張ることで対処を考えます。

機械学習型 AI は「何もしていないのに壊れる」「永遠に保守するシステム」とも言われます。難しいのは、ここでの「壊れる」が、「エラーが出て動かない」などではなく、「予測を外すことが少し増える、長期間かけて注意深く分析しないと気づかないかもしれない」ということです。訓練時と運用時で変化がないような限られた環境で動作するものもありますが、大半の機械学習型AIにおいては、継続的な保守を想定することが必要不可欠です。

ソフトウェア工学の拡張

ここまで述べたように、機械学習型AIにおける保守活動は、明らかな不具合報告や動作環境の変化などをきっかけに必要性がわかるというよりも、ややあいまいな基準で見張り続けるような必要性があります。このための監視技術や、AIの更新必要性の判断技術が必要になってきます。これはソフトウェア工学と機械学習双方の専門性が必要な技術であるとも言えます。

また従来のソフトウェアにおいては、変更の影響範囲はある程度論理的に絞り込めることを期待していました。一方、機械学習型AIでは、訓練データを追加しての再訓練による変更により、全体が変わってしまうようなことがあり得ます。例えば今まで正解できていた入力が不正解になり、不正解だったものが正解となり、総合的には正解率が上がるような変更があるかもしれません。このように正解不正解が大きく入れ替わることを問題なしとするのか、以前と同じ挙動を維持しつつ一部改善するような変更を望むのかなど、変更の扱いについても議論していく必要があります。

発注者・利用者への影響

発注者としては、監視や適応を中心として保守を継続的に行う必要があることはコストの観点から理解する必要があります。逆に、運用を通してさらにデータが累積され、正解率が向上するなどの効果が期待できる場合もあります。いずれにしても、機械学習型 AI はこれまで以上に、継続的に維持し続けることが重要であると理解する必要があります。

Section 4.8 AI 品質に関するガイドライン

前述のように国内では AIQM、QA4AI という二つの AI 品質に関するガイドラインが提供されています。

AIQM ガイドラインでは、従来ソフトウェアに対し信頼性や保守性などの品質特性を挙げたように、機械学習型 AI においては AI パフォーマンス、リスク回避性、公平性の三つの特性を考えることを示しています。AI パフォーマンスは正解率などの予測性能をとらえるもので、機械学習型 AI では通常考える品質特性であり、システムの有効性のために重要となります。しかし、例えば 90%正解しても残りの 10%で大事故を起こすのでは安全とは言えません。このため、様々なケースのそれぞれで事故や損害のリスクが低いかというリスク回避性を検討する必要もあります。公平性は、後で詳述しますが、AI による判断に性別や人種などによる望ましくない偏りがないことを指します。AIQM ガイドラインでは、これらの品質特性に対して、問題分析、訓練や評価に用いるデータ、訓練済みの予測モデルといった成果物をしっかり評価しているかのチェックリストが提供されています。

QA4AI ガイドラインでも、データや予測モデルといった対象に対するチェックリストが提供されています。興味深い点としてまず、システム全体のチェックリストと、機械学習により構築する予測モデルに対するチェックリストを分けています。例えば、機械学習型 AI により実現した予測機能と、従来型のプログラムとを併用することで、AI の誤りの影響を小さくすることが考えられます。また予測が当たる、当たらないという正解率ではなく、システム全体での利益やコストなどビジネス上の指標を評価すべきです。あくまで機械学習型 AI は一部品として、システム全体の品質を考える必要があります。QA4AI ガイドラインではさらに、プロセスや組織体制に対するチェックリスト、顧客の期待に関するチェックリストもあります。前者においては、不確かさが高く「やってみてわかることがある」機械学習型 AI に対して、迅速に試行錯誤を行えるか、フィードバックを反映することができるかということを重視しています。後者においては、顧客や社会から対象システムに対しどれだけ強い要請があるのか、あるいは顧客が AI に対して過度な期待を抱いていないかといったことを確認すべきとしています。例えば、機械学習型 AI では、訓練データに含まれていないような入力に対しては、訓練で構築した処理規則を機械的に当てはめるだけなので、非常に変な出力が出る可能性もあります。何となく「知能」と思ってしまうと、「未知の状況でもうまくやってくれる」と過度な期待を持ってしまうかもしれません。AI を作ってから、使ってから、「こんな話は聞いていない」とならないように、適切な理解と期待をもってプロジェクトを進めることが重要になります。

Section 4.9 人間・社会への影響

AI の話をするときには、倫理や社会受容性といった言葉が出てくるのを聞いたことがあるかもしれません。機械学習型 AI では、ルールとして書き出すことが難しいような判断を実現できるため、従来人間が行っていた、人間・組織・社会への影響が大きい処理を自動化することもできてしまいます。例えば、ローン貸し出しの可否判断、雇用判断、治療優先度の判断などは、対象となる人間の人生に非常に大きな影響を与えます。またそれらの判断において、偏り、例えば性別や人種による判断の違いがあると、社会的に大きな問題になるでしょう。技術的には、訓練により得られた判断基準に偏りがあるというだけですが、社会的には「AI が差別をした（差別をするような AI を作った）」という批判が生じます。差別がないこと、言い換えると公平であることは、AI において重要な側面であると考えられています。

もちろん従来ソフトウェアも、今や人間・組織・社会に大きな影響をもっています。しかし問題になるのは、新幹線や飛行機の予約システムが不具合で止まってしまうような場合です。規則に従った処理を大量に、迅速に行えることに社会が依存しているため、システムの信頼性が問題となっています。AI の場合は「そもそも何をすべきなのか、すべきでないのか」、「適切な判断をしているのか」といった人間・組織・社会のあり方が問題となり、人権や思想にかかわる側面を論じる必要があります。

ソフトウェア工学の拡張

従来ソフトウェア工学においても、様々なステークホルダー（利害関係者）のニーズを把握することが重要とはされていました。機械学習型 AI においては、ニーズというよりも、人権侵害や不快感といったより幅広い観点でステークホルダーへの影響を考えたり、ステークホルダーとの対話を行ったりすることが重要となっていきます。本来社会科学や社会心理学といった学問領域で扱ってきたような側面を採り入れていくことがますます重要となってきています。

発注者・利用者への影響

ここで論じたようなAIの公平性や社会受容性は、企画、発注、利用をしている組織も責任を負うことが期待されます。例えば雇用判断に関するAIであれば、雇用の公平性のあり方を定めるのは、開発組織というよりも、雇用を行う企業になります。公平性には複数の異なる基準があり、例えば男女で採用率が同じになることを重視するのか、男女で判断基準が同じになることを重視するのかといった異なる方針があります。現実の採用候補者には偶然により偏りがある、例えばたまたま優秀な女性が多数応募してきたようなことがあるので、それでも男女同数をとるのか、優秀な人をとって結果女性が多くなるのか、という判断には、ポリシー・意志決定が必要です。同様にAIにおいても、どのような公平性を重視するように設定するのか設計・チューニングの選択肢があり得ます。もしかしたら「これまで人間が行う際にそこまで考えていなかった」というレベルまで、公平性や社会受容性について突き詰めて考えるきっかけになるかもしれません。

コラム：倫理的・社会的な問題の事例

データの偏りにより、顔認証の正解率が人種や性別により異なるという問題についてすでに触れました。同じような問題は、雇用、クレジットカードの審査などにおいて発生してきました。新型コロナウイルスの影響下において対面入試ができないときに、「高校内でのスコア・順位から全国での順位を予測する」ようなAIまで検討され、これは当事者となる学生の大反発につながりました。現在では、交通などのインフラ、教育、雇用、法律、入国・移民を扱うようなAIについては、データと予測モデルともに非常に高い品質であること、公平性が担保されていること、透明性があることなどが強く求められています。欧州連合（EU）では、特に指針としての明文化がなされているほか、「AI条約」のような強い遵守が求められる形式になる可能性も検討されています。

公平性に関する少しややこしい事例として、アメリカにおける治療優先度判断のシステムの話を紹介します（図4.5）。生活習慣病の増加や医療費の増大に対しては、早い段階で適切な治療を行い、重病を防ぐことが重要です。これに対して機械学習型AIでできることは何か、と考えてみます。すると、「この人の生活や健康診断データを踏まえると、将来大きな病気になる可能性が高い」と予測することで、「今のうちに食事指導や治療を始めた方がよい」と対応することが考えられます。「居住地域など健康に影響しうる個人データやある時点の健康診断のデータ」の入力に対して、「その後に要した医療費」を出力として予測するような機械学習型AI

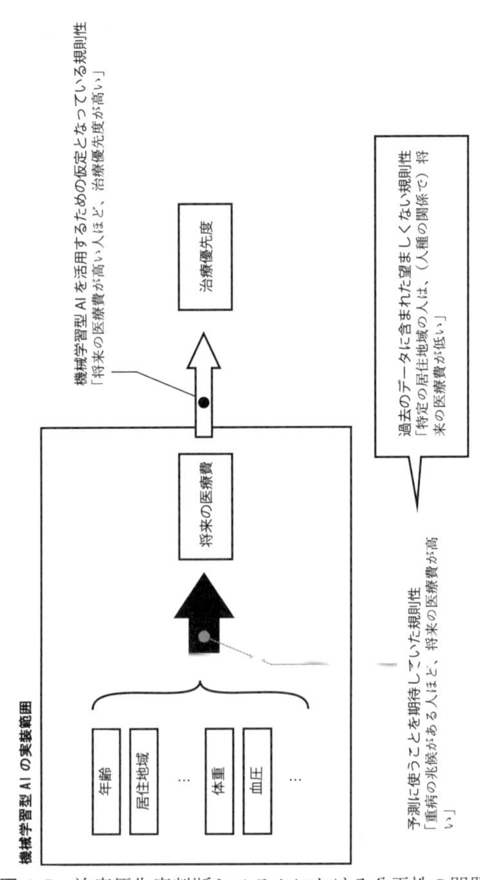

図 4.5　治療優先度判断システムにおける公平性の問題

になります。重病というのはややあいまいで過去のデータ上も不明確なので、医療費を出力するという形が、過去のデータを訓練データとして用いる際に扱いやすいものとなります。

このシステムにおいて、「特定の居住地域では、黒人が多く、差別に起因する医療拒否や経済上の問題から医療費が低い」という傾向が学習され予測に用いられていたかもしれないと指摘されています。すると、健康データ上は治療が必要な人に対し、「居住地域を踏まえると、将来必要な医療費は低い」という予測がされてしまうということです。システムを作ったエンジニアは誰も差別を埋め込もうとはしておらず、予測にあたって人種情報は一切使っていません。因果関係の連なりの結果として、差別的な判断につながってしまうような事例になっています。公平性が関わるAIについては、差別を埋め込むようなことを意図的にしないのは当然として、結果的に差別的な判断になっていないかを評価して確認する必要があります。

このような事例に対して「差別をするからAIはダメだ」という論調もあるかもしれません。しかし実際のところは、AIは「偏りがある現実の人間世界」を写しとって顕在化させてしまうものです。現在では、人間に関わるAIにおいて公平性は非常に重要視され、AIを扱うエンジニアは、公平性の問題や技術に関する深い知識をもつようになりました。

AIを一つのきっかけとして、人間が社会のあり方についてより深く考えることになったと言えます。

Section 4.10 AI for SE

ここまで、機械学習技術を用いてAIソフトウェアを作るためのソフトウェア工学、いわば“SE for AI”を論じてきました。別の話題として、従来のソフトウェアを作るための工学技術として、機械学習技術を始めとしたAI技術を使う“AI for SE”も当然考えられます。これは第3次AIブームより前から盛んに追求されており、深層学習による技術進化を受けてさらに広がっています。

一例として、メタヒューリスティック最適化と呼ばれるAI技術をソフトウェア工学において活用するアプローチがあります。メタヒューリスティック最適化は、教師あり学習のように正解の具体例多数から学ぶのではなく、たくさん試してみることでよりよいものを作っていくという技術です。このようなアプローチで、例えばよりよいテストを自動的に探索し作成していくようなことができます。例えばソーシャルネットワークのFacebookのためのモバイルアプリに対しては、このような遺伝的アルゴリズムに基づいて、「より効率的でたくさん問題を見つける」テストを自動生成するようなことが行われています。

もちろん、機械学習技術により、大量の訓練データを基にして判別や予測を行うことで、ソフトウェア工学の活動を支援するようなアプローチも盛んに追求されています。もともと、プロジェクトの工数予測やリスク予測、不具合発生の予測などは、データ分析に基づいて経験的な知識を用いて行われていました。現在の技術ならば、研究者が人手で解析して作った予測手法だけでなく、大量のデータからより精密な予測手法を作ることもできます。また、深層学習によって画像や文書などの複雑なデータが扱えるようになりましたが、これにより、日本語で書かれた要求仕様や不具合報告書、あるいはプログラムに対しても、分類や類似検索をより高精度に行うことができるようになっています。

第 5 章　対話型生成 AI

Section
5.1 ChatGPT のインパクト

2022 年 11 月に OpenAI 社が ChatGPT と呼ばれる対話型（チャット型）AI をプロトタイプとして公開しました。多様な質問に対し、従来では考えられないレベルで自然な回答を返すことから非常に注目されました。Web ブラウザ上で、日本語や英語など自然言語でやりとりすることができる気軽さもあり、アクティブユーザー数が 2 か月という異例の早さで 1 億人に達したとされています。その後、OpenAI 以外も同様な AI をリリースしたほか、あらゆる分野でこれらの新しい AI に関する盛んな討論や議論が巻き起こりました。本書執筆時の 2023 年半ばでは、ソフトウェア工学はもちろん、法律や教育など非常に多様な分野において ChatGPT などの対話型生成 AI に関する講演や討論が毎日のように行われているのを目にしています。

ChatGPT とのやりとりの一例を図 5.1 に挙げます。ここでは、テイクアウト注文を行うシステムのユースケースをまとめることを行っています。2 章で述べた要求分析工程において、開発組織のエンジニアが、企画・発注・利用組織のステークホルダーの話を聞きながら行うような作業です。図 5.1 では、ステークホルダーから雑に述べられたような、順不同で述べられ部分的な記述から、ChatGPT によりユースケースが作られています。

著者の入力

以下で述べるテイクアウト予約のシステムについてユースケースをまとめてください。

利用者はシステムに登録したIDでログインして、システム上にあるレストランからテイクアウトメニューの予約ができる。予約時には注文する商品と受取時間を指定する。法人登録をすると月ごとの請求書払いも可能である。受取時間まで1時間を切るとキャンセルはシステム上では行えず電話などで行う。

ChatGPTの出力

1. 利用者登録
   利用者はシステムに必要な情報を提供してアカウントを作成する。法人として登録する場合、月ごとの請求書払いを選択することができる。
2. ログイン…
3. レストラン選択…
4. メニュー選択と予約…
5. 月ごとの請求書払い
   法人として登録されている利用者は、毎月の終わりに請求書を受け取る。法人は指定された期間内に請求額を支払う。
6. 予約キャンセル
   受取時間の1時間前まで：利用者はシステム上で予約をキャンセルすることができる。
   受取時間の1時間前以降：利用者はレストランに直接電話し、予約をキャンセルする。

…

著者の入力

法人ではない個人の支払いについても含めてください。

図5.1　ChatGPTの実行例（2023/8/3GPT-4バージョン）

今回の生成例では、もともと入力で指示していないような、アカウント作成機能が入っていますし、自然な時系列で並べられています。また請求書払いの指定タイミングは購入時ではなく事前に行うもので、今回は法人アカウントの登録時に指定するようになっています。このように、文章として自然であることはもちろんとして、直接指示していないことも回答してくれることがあります。一方で、元の入力で法人は月締めの請求書払いができることのみ触れており、個人の支払いについて触れていませんでした。今回の生成例ではこの点について補完はされていなかったので、続く指示で含めるように指示しています。

図5.2では、これに続いて、利用者の立場と指定した上で指摘を行わせています。単純に情報が不明確であることのほか、法人特典やお気に入り機能など、一般的にありそうな機能追加についても言及しています。ChatGPTは、ロールプレイングとも呼ばれるように、立場やタスクの内容を明確に指示することで、多様なタスクを実現することができます。ここでは結果は割愛しますが、他にも、生成したユースケースからさらに画面の設計を行わせ、HTMLと呼ばれるファイル形式で出力させたり、プログラムを書かせたりすることもできます。

これらの例はあくまでChatGPTができることの一部ですが、世界を変える（2023年の時点ですでに変えている）技術であり、大きなインパクトを持つ理由が見えたでしょうか。これまでは、特定の機能が欲しいとなったときに、ソフトウェアシステムの開発という形で、該当機能を持つシステムを開発組織が構築してきました。一方、ChatGPTなどの対話型生成AIは、翻訳、要約、

著者の入力

利用者の立場から上記のユースケース全体に対する指摘を行ってください。

ChatGPT の出力

テイクアウト予約システムのユースケースを利用者の立場から詳しく見て、以下の指摘を行います。

1. 利用者登録の明確化
   どのような情報が登録時に必要か明確にされていない。例えば、氏名、メールアドレス、電話番号、住所など。パスワードのリセットやアカウントの復元機能についての言及がない。
2. 支払い方法の選択
   個人利用者の支払いに関して、オンライン決済と店舗での支払いが挙げられているが、どちらを選ぶのか、または両方を選べるのかが明確になっていない。
3. 予約確認の方法…
4. キャンセルポリシーの明確化…
5. 法人利用者の特典や制限…
6. ユーザーエクスペリエンスの向上
   例えば、お気に入りのレストランや過去の注文履歴を簡単に確認・再注文できる機能、レビューや評価を残せる機能など、利用者の利便性を向上させる機能の追加を検討する。
7. セキュリティ対策…

このような指摘を踏まえることで、システムのユーザビリティや利便性、セキュリティを向上させることができるでしょう。

図 5.2　ChatGPT の実行例（2023/8/3GPT-4 バージョン）

言い換え、質問応答、プログラム作成・修正、プログラム説明など多様なタスクに利用できます。しかも従来の専用 AI よりも、結果の品質が良いことも多くあります。さらに、ロールプレイングによる立場の指示や、返答に追加・修正を求める対話反復により、意図した返答が得られるように調整することもできます。これらのやりとりは、プログラミング言語などではなく、日本語で行うことができます。システム開発というプロセスをすっ飛ばして、利用者が直接「自分ならではの機能」をその場で作れるのです。

Section 5.2 生成 AI と LLM

ChatGPT というのは、OpenAI 社が作成した特定の AI やその機能を提供するサービスの名称です。似たような AI は他の企業や大学も構築、提供しています。ChatGPT のように対話を生成する AI のことを対話型生成と呼びます。より一般に、対話や画像などのデータを生成する AI を指す生成 AI という語も用いられます。この技術用語について理解しておきましょう。

生成 AI

4 章で扱った教師あり学習では、入力と出力の間の関係性を訓練データから学習することにより、種類の分類や値の予測といった機能を実現していました。これとは別のアプローチとして、「世界にはどのようなものがどれだけの割合で存在するか」という散らばりを学習することもあります。何が自然に存在するかがわかれば、「現実には存在しない自然なもの」を生成することができます。このようなアプローチに基づき機械学習を通して得られるモデルやAIを基づき機械学習を通して得られるモデルやAIを基づき機械学習を通して得られるモデルやAIを、生成モデル、生成AIといいます。

とても簡単な例として、日本人男性の身長に関するデータをある程度の数集めれば、どれくらいの身長の人がどれだけの割合で存在するかがわかります。例えば「身長185cmを超える人はおよそ3%」といった感じです。そのようなデータから、日本人の身長の散らばり度合いを表すような計算式を導いておけば、「自然な日本人男性の身長を生成せよ」として様々な身長の例を作り出すことができます。多くの場合は170cm前後の値が生成されますが、ときには190cmといった値も生成されることがあるでしょう。一方で300cmといった値が生成されることはないでしょう。

身長の例は非常に単純ですが、画像や文章といった複雑なデータに対して、何が自然かということを学習させることは非常に難しいことです。しかし、様々なデータに対する生成AIの技術が追求され、今では、画像、動画、音楽、詩や俳句など様々なデータを生成するAIがあります。

コラム：画像生成AIの進化

生成AIとしては、特に画像を生成する技術が非常に盛んに取り組まれてきました。画像データは複雑なので、単純にデータをたくさん与えるだけで自然な画像を生成するAIを得ることは困難です。技術としては、「自然な画像を生成するように学習をするAI」と「自然な画像とそうでないものを見分けるように学習するAI」を戦わせながら同時に学習を進めるGAN (Generative Adversarial Network) という技術があります。また、「ノイズが入った画像を自然な画像に戻す」ということを、少しずつノイズを大きくしながら学習していくことで、自然な画像の生成ができるようにする拡散モデルという技術もあります。

2022年夏には、StableDiffusionと呼ばれるAIをはじめとして、単語や文章で指示をして画像を生成されるAIが多数リリースされ、これも世界に大きなインパクトを与えました。画像投稿サイトにおいてAIに描かせた画像が多数投稿されたり、それに対してイラストレーターからの反発があったりしました。また静岡の水害時に、AIに生成させたフェイクの被害画像が社会問題となりました。ChatGPTもそうですが、技術の進化が非常に速くなり、人間・社会がそれらをどう受け止めたり、必要ならば規制をしたり、適切に使いこなしていったりするのか、という問いが常に投げかけられています。

LLM

さて、文章の世界での生成モデルあるいは生成AIを考えるときには、「与えられた文章に対し、後ろに続く単語や文章として何が自然か」を学習する形をとります。図5.3の上部にあるように、「我が輩」と来たら「は猫である」と来るのが確率としては高いといったことを学習するわけです。大ざっぱに言うと、ChatGPTなどの対話型生成AIは、これを極めることで、与えられた指示などに対して自然な返答を生成しています（図の下部）。

このように「与えられた文章に対し、後ろに続く単語や文章として何が自然か」を学ぶような生成モデルを、言語モデルと呼びます。言語モデル自体は昔から研究、構築されていますが、近年それが大規模化してきまし

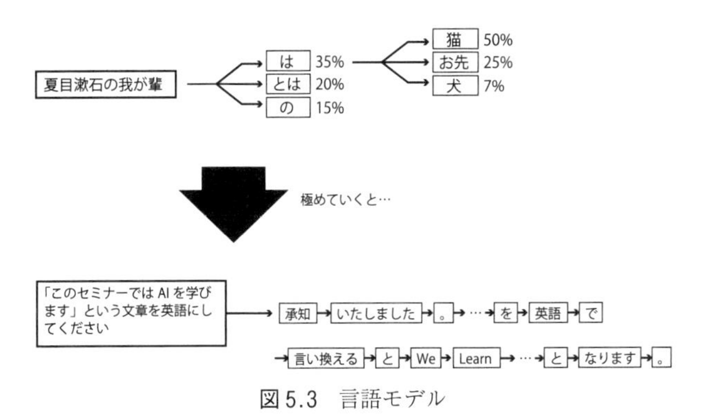

図5.3　言語モデル

た。4章で紹介した深層学習では、訓練により数百万から数千万といった数のパラメーターの値を設定していました。ChatGPT などの裏にある言語モデルでは、千億あるいは兆単位の数のパラメーターの値を訓練で設定しています。この規模が増え続けて、驚くほど自然で多様な返答ができるようになりました。このような言語モデルは大規模言語モデルと呼ばれ、LLM という英語略称もよく用いられます（LLM: Large Language Model）。

なお、ChatGPT は LLM の技術だけでできているわけではありません。例えば、「そんな馬鹿な質問するな」といった回答も、残念ながら自然で典型的かもしれません。しかし、そういった回答は望ましくないので、ChatGPT の構築時には、利用者にとっての回答の望ましさの点数のようなものを用いた訓練や調整が行われています。

コラム：大量の GPU で戦う時代

機械学習には大量の計算を必要としますが、この計算は GPU (Graphics Processing Unit) と呼ばれるコンピュータの部品によって高速化することができます。元々はゲームにおける CG など、グラフィックス処理を高速に行うための部品として使われていましたが、機械学習に必要な計算も共通するため、機械学習でも GPU が使われています。GPU は高価なものもあり、新しいものは一個百万円を超えることもあるほか、品薄で入手できないこともあります。LLMの場合は、こういったGPUを数十個、ときには百個といった単位で用意し、何日も使い続けて訓練を行います。ということは、億単位の資金で訓練用の環境を整備していることもあるということです。機械学習の世界では、GPUをはじめとした半導体や、それらを載せた計算機を大量に運用するデータセンターが非常に重要な基盤となります。

Section 5.3 LLMの特性

このように仕組みを考えてみると、あくまで大量のデータから自然なものを学習しているということになります。すると、教師あり学習のときと同じように、以下のような性質があります。訓練データの量がさらに増えるとともに技術が進化するにつれ、問題が解消される、あるいは発生頻度が下がる可能性はありますが、本書執筆時の2023年8月現在において留意した方がよいとされていることです。

機械学習ならではの性質

4章で解説した教師あり学習と同じように、データから出力を導くという仕組みを採っている以上、その仕組みに起因する限界点があります。

まず、訓練データに含まれていないような入力に対しては、適切な出力ができない可能性があります。例えば、特定企業の内部情報について答えさせようと思っても答えられるものではありません（その情報が外部に漏れていなければ、ですが）。また、ChatGPT はアメリカの企業が作っているものなので、訓練データの中では日本語の文章は比較的小さい一部分になるでしょう。このため ChatGPT、特に初期のバージョンでは、日本語ではなく英語で指示した方が、適切な結果が得られることが確認されています。なお、日本語で聞いてみて結果が不適切だった場合、ChatGPT 自身に指示を英語にしてもらうとともに、結果を日本語にしてもらう方法があります。

訓練データの偏りによって、不適切な傾向を学んでいる可能性もあります。例えば画像生成 AI では、消防士の画像を作らせると男性の画像ばかり生成されるという問題がありました。同様のことが対話型生成 AI でも起きている可能性はあります。

また、何か事実関係に基づいて回答をしたり、論理的な思考をしたりしているわけではありません。あくまで訓練データを踏まえて自然な、もっともらしい回答を返しています。このため、「事実を聞く」検索のような使い方や、数学やパズルの問題を解かせるような使い方は、本来は向いていません。

とはいえ、訓練データの規模が非常に大規模なので、これらの限界はなかなか見えづらくなっています。例えば数学の問題が苦手といっても、大学初級くらいの数学なら Web 上にも無数の解説サイトがあり、訓練データに含めるのは容易です。それらから「自然に見える」回答を生成すれば、結果として「論理的に筋が通る」「あたかも数学を理解しているように見える」回答になっていることになります。

コラム：プラグイン・サービス連携

ここまで対話型生成 AI の限界について述べましたが、対話型生成 AI を単体で使わず、他の部品と組み合わせることで、このような限界に対処することも考えられます。一番わかりやすいのは、検索エンジンや文書データベースと組み合わせることで、対話型生成 AI 自身には「事実を聞く」ことはせず、「事実が書いてある文書の説明や要約をさせる」ことです。他にも、対話型生成 AI に「やりたいことを正確に行うプログラムを書かせる」ことをし、そのプログラムを実行させることで論理的に正確な処理を行うこともできます。ChatGPT では、他のソフトウェアサービスやツールを組み込んで使うプラグインという機能がありますし、検索エンジンや論文データベースと連携した対話型生成 AI も提供されるようになりました。組み合わせの発想により対話型生成 AI の有用性は大きく広がっています。

ハルシネーション

前述の問題に関する具体例として、初期の ChatGPT における「東京特許許可局について教えてください」という入力に対する出力を見てみましょう。ご存じの通り、東京特許許可局という機関は実際には存在しません。

2023 年 2 月のバージョン（GPT-3.5 と呼ばれる LLM を利用したもの）では、「東京特許許可局は、日本の特許庁の管轄下にある特許審査・登録の申請受付、審査業務を行う機関の一つです」といった感じで、具体的な業務や日本での役割についてのしっかりした説明が返されました。これが「もっともらしい嘘」とよくいわれる対話型生成 AI の問題です。ハルシネーション問題ともいわれます。ハルシネーションとは、幻覚・幻影といった意味を持つ英単語です。

さらに、「東京特許許可局の最寄り駅はどこですか」という質問もしてみたところ、回答として「JR 総武線飯田橋駅、……都営地下鉄三田線半蔵門駅」といった形で四つほど駅が挙げられました。これも言い回しは非常にもっともらしいのですが、三田線は半蔵門駅を通りませんし、実は飯田橋駅と半蔵門駅が最寄りというのもおかしい（もっとお互いに近い駅がある）回答になっています。もっともらしいだけであり、地図や住所の知識と照らし合わせているわけではないのです。

このようなハルシネーション問題が社会的にも大きく取り上げられたため、ChatGPT においてはその後、学習が不十分でありそうな回答については、「最新の知識は持っていないのであくまで一般論として回答します」「具体的な情報は公式のWebサイトで確認して下さい」といった控えめな言い回しが追加されるようになりました。なお、GPT-4と呼ばれる新しいLLMを用いた2023年7月のバージョンでは、「東京特許許可局は日本語の早口言葉である」という適切な回答がなされるようになっていました。

プロンプトエンジニアリング

ChatGPTなどの対話型生成AIに対して入力として与える指示はプロンプトと呼ばれます。このプロンプト次第で、同じタスクに対しても返答の品質が変わることが知られています。このプロンプトをうまく組み立てる活動は、プロンプトエンジニアリングと呼ばれ、そのガイドラインが追及、公開されています。ソフトウェア工学の言葉で言うならば、プロンプトのパターンが整備されているということです。

有名なパターンとして、Few-Shot PromptingとChain-of-Thought Promptingを紹介します。Few-Shot Promptingは、いくつかの回答例を見せた上で回答を求めることにより、適切な回答を得ることができるというものです。Few-Shotという言葉は、機械学習においては少しの訓練データしか使わないことを指します。Chain-of-Thought Promptingは、大きな問題をただ解かせるのではなく、問題を分解して一歩ずつ解くようにさせることです。

有名な例として以下の問題があります。

次の数の和は奇数になるか答えよ。3, 8, 4, 9, 11, 2

この問題に対し、まず和を求めるステップがあるということを明示するのがChain-of-Thoughtであり、さらにこれにFew-Shotとして具体例を与えるようにすると以下のプロンプトになります。

Q. 次の数の和は奇数になるか答えよ。7, 8, 4, 1, 9, 10
A. 7+8+4+1+9+10=30なので奇数でない
Q. 次の数の和は奇数になるか答えよ。10, 3, 2, 7, 11, 6
A. 10+3+2+7+11+6=39なので奇数である
Q. 次の数の和は奇数になるか答えよ。3, 8, 4, 9, 11, 2

この例は簡単なものですが、このようなプロンプトにより適切な返答を得られる可能性が高くなることが知られています。

Section
5.4 SE for LLM/AI

LLMの活用形態

LLMの利用形態としては、Webブラウザなどから ChatGPTなどAIサービスとして提供されたものを利用するものがあります。この形態では、各利用者が、情報検索には向かないといった特性を踏まえ、プロンプトエンジニアリングのパターンを活用していくことになります。本書執筆時の2023年8月現在では、ChatGPTのリリース後一年も経っていませんが、東京都ではこのような指針を明記したガイドラインが公開されるなど、各利用者向けの指針が盛んに追及されています。システム開発という手段を経ずに、利用者各自が自分のやりたいことを実現すべくプロンプトという手段を追及するという形態になります。

これとは逆の方向性として、自分たちのニーズや課題に対して、LLMを内部部品として用いた専用のソフトウェアシステムを開発、運用するという形態があります。例えば、業務に関する文書や、レストランや商品の口コミなどに対し、検索をしてその結果を要約するようなシステムを作りたいとします。このときに、要約についてはLLMに実現させることもできます。この場合、利用者の検索要求を基に、システムの内部でプロンプトを自動作成してLLMを使うことになります。このとき、特定のタスクに特化するよう、独自のLLMを構築したり、既存のLLMに対して追加の学習を行ったりすることもあります。このような場合、従来のように、部品として用いられるLLMや、それを含むシステム全体に対して、要求分析やテスト、運用時の監視などの活動を行うこと、すなわち"SE for LLM/AI"が必要になります。

もしかしたら「個人で使う」と「専用システムを作る」の中間として、「組織で規範を決めて使う」もあるのかもしれません。業務としては決まったタスクにのみ、既存のLLM・対話型生成AIを用いると決めるような形態です。このために、既存AIが該当タスクに対して十分なのか、要求分析やテストを行うことが考えられます。システム開発をしているわけではありませんが、「ソリューションの構築と整備」をしているという感じです。このときにも、ソフトウェア工学の原則や技術を活かしていくことができるかもしれません。

ソフトウェア工学技術の適合・進化

LLM・対話型生成AIを含むシステムに対して要求分析やテストを考えてみると、一筋縄ではいかないでしょう。何よりもまず、要求の定義、つまり何ができるべきで何はできなくてよいのかの境界を定めることや、どのような観点で「良さ」を測るのか、つまり品質特性を定めることが困難です。

本書で例として紹介した、テイクアウト予約のユースケースのまとめタスクについて考えてみましょう。このようなユースケースまとめについて ChatGPT に常に任せてよいでしょうか。これを評価しようと思うと、過去に人間が行った同様なタスクの結果を集めたり、あるいは人工的に作ったりして評価用データセットを用意することが考えられます。ステークホルダーからのインタビュー結果をプロンプトにいれ、そこから最終的なユースケースにどれだけ近いものを出せたか、といった評価を行うことが考えられます。この点は教師あり学習と同じですが、対話型生成 AI ではさらに評価基準となる要求があいまいであり、出力が不定型である点が大きく異なります。

ユースケースまとめの例では、時系列を指示していないのに適切に並べてくれたという利点がありました。すると、必要な機能が揃っているだけではなく、順序も評価することも考えられます。ここで、「必要な機能が揃っている」という評価にもブレがありそうです。当時は思い付かなかった、より適切、便利な機能を加えて提案していたらどう評価するでしょうか。「指示していない余計なことをするな」となるか、「抜けを補ってくれてありがたい」となるか、評価が場合によって、あるいは人によっても変わりそうです。

そもそも、LLM・対話型生成 AI では、出力が不定型な日本語で出てくるので、数百件、それ以上の評価を自動で行うことも単純にはできません。さらに、与えるプロンプト入力についても、本来のステークホルダーからのインタビュー結果をあえて削り、部分的な情報から補ってくれるか評価するなど、試すべき指示の内容や言い回しに膨大なバリエーションがあり得ます。

LLM・対話型生成AIのよいところは、使ってみてダメだったら、結果の一部だけでも参考にすればよい、あるいは結果がよくなるように対話を続けられる柔軟性や適応性です。「対話の継続で補える能力」まで評価しようと思うと、さらに評価があいまいで、厳密な評価が難しくなってきます。

このように、LLM・対話型生成AIに対しては、従来のソフトウェアや、出力が定型であった教師あり学習型AIとも異なる原則や技術が必要になりそうです。本書の執筆時にはこのような議論がまだ始まったばかりです。要約や翻訳など複数の問題を解かせてみてLLM・対話型生成AIを総合評価することは盛んに行われています。しかし、「我々の目的に対して十分か？我々の使い方ならでは気をつけることは何か？」といった問いに対し、個人任せではなく、どのように組織的、系統的に取り組んでいくかという課題があります。LLM・対話型生成AIについては競合も激しく、バージョン更新も頻繁であるため、利用目的を踏まえた比較評価も重要になってくるでしょう。

Section 5.5 LLM/AI for SE

LLMや対話型生成AIをソフトウェア工学におけるタスクに活用するという動きは、本書執筆時にもすでに起こっています。起きているというより、ソフトウェア開発は対話型生成AIによる影響が最も大きい領域の一つだと言われています。

ChatGPTより前に、GitHub CoPilotと呼ばれるプログラムコードを生成するAIが大きな話題となっていました。例えば、ある機能についての説明コメントと、機能名程度を書くだけで、AIがその続きとなるコードを補完してくれます。プログラムコードに対しては、他にも問題点の指摘や、他の人が書いたコードの要約や説明といった使い道もあります。

LLMや対話型生成AIにより支援できるタスクは、プログラムコードに関わるものだけではありません。本書では、部分的な情報からユースケースをまとめる例を扱いました。仕様や設計の良し悪しを対話型生成AIと議論する「壁打ち」と呼ばれる支援もよく議論されていますし、テストの作成なども試されています。

ソフトウェア開発においても、最初は個人がうまくGitHub CoPilotやChatGPTなどのサービスを使いこなしていくという形が広がっていくでしょう。従来と同じようなプロセスで開発や品質評価、運用を進める中で、個別のタスクが支援により短い時間で、あるいはより高品質に行えるようになります。しかし、LLM や対話型生成 AI による支援を前提とした形で、開発のプロセスや開発者の役割が変わってくる可能性があります。典型的なタスクは自動化できてしまうことになるので、人間の開発者はその結果の検証や、典型的でないドメインや組織固有の問題に注力することを前提にしたプロセスになるかもしれません。本書執筆時である 2023 年はまさに、ソフトウェア工学が大きく変わる途中を目にしているのかもしれません。

コラム：プログラミング教育への影響

GitHub CoPilot や ChatGPT は、大学教育や企業研究にはすでに大きな影響を与えています。プログラミングの学習をするときも、もちろん典型的で簡単な問題から取り組んでいくわけですが、そのような問題は対話型生成 AI により解けてしまいます。単純には、家でレポートをやらせても、AI に解かせてしまうかもしれないので、学習の達成レベルは測れなくなってしまいます。これはプログラミングだけではなく、あらゆる教科で起きていることかもしれません。あくまで自身の手で行うことが重要という位置づけならば、「何も見ないで取り組むこと」として設定したり、試験では対面で厳しく見張ったりするのかもしれません。

一方で、AI があることを前提として、それを使いこなすことを学ぶべきだという意見もあります。この場合、今までのレポート課題をそのまま出すのではなく、AI にプログラミングをさせてその検証まで行う、今までよりもずっと大きな課題に取り組む、といったことが考えられます。AI を前提として、時間あるいは難易度の観点から今ではとても取り組めない問題をレポートや試験にて取り組むということです。技術の変化に対してどのようにスキルやカリキュラムも変わるべきかという議論が巻き起こっています。

おわりに

本書では50年の歴史を持つソフトウェア工学の分野について概観し、20年前からのアジャイルソフトウェア開発の潮流、そしてこの5年で激動しているAIとの関わりについて議論してきました。ソフトウェア工学には、プログラミングやそれにつながる設計などIT分野の深い専門知識を要する活動が含まれます。その一方で究極的には、そもそも組織や社会における価値創造や課題解決のあり方を追及するという、あらゆる人が関わりうる、あいまい、不確かで難しい問題を扱おうとしています。

ソフトウェアは社会の基盤として根幹に関わるようになっていると言いますが、AIによりその位置づけは変わってきています。図6.1の上にあるように、従来ソフトウェアは、組織やビジネスで本来やりたいことに対して、厳密なルールや手続きで実現できる部分をうまく切り出し、要求仕様として定義していました。このため、ソフトウェアは信頼性が高く正しく動くことに注力している一方、真のニーズや課題、それらの変化と要求仕様とのずれが大きな問題となっていました。アジャイルソフトウェア開発は、この部分の不確かさや難しさに対処しようとした動きであったとも言えます。

一方で、教師あり学習やLLMにより、図の下側のよ

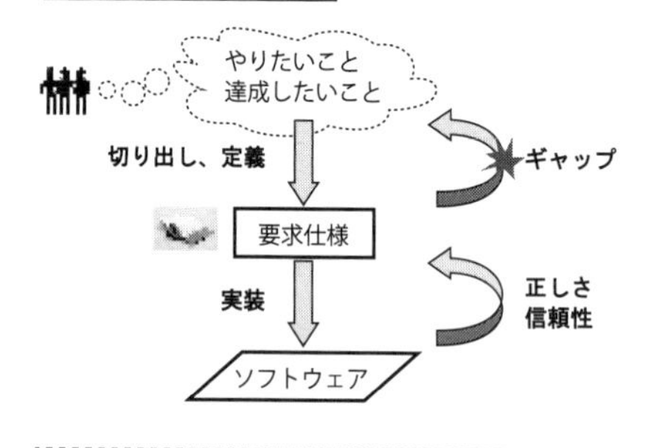

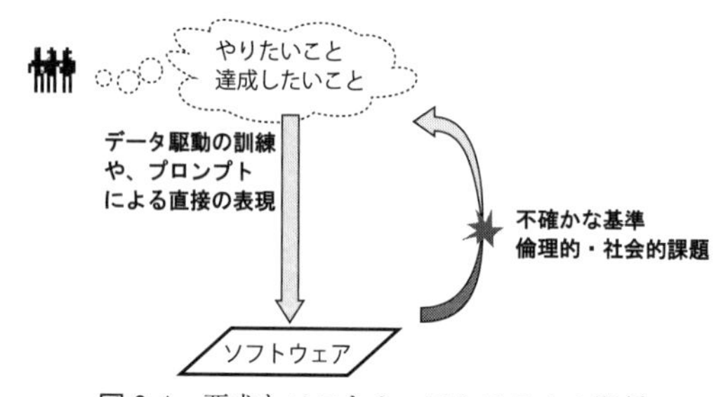

図 6.1　要求とソフトウェアシステムの関係

うにニーズや課題に直接対応したソフトウェア機能を実現できるようになってきています。すると「正解」が明確に決まらなかったり、人によって受け止め方が変わったりするなどの不確かさが大きくなってきます。組織や社会、そこに属する個人に対してシステムが持つ影響が非常に大きくなってきています。技術の変化と社会の変化がともに激しく、相互に影響して世界がどんどん変わっていっています。

このような時代に私たちはどのように向き合っていけばよいでしょうか。間違いがないこととして、企画・発注・利用組織と呼んできたように、製造、金融、教育など各ドメインの専門家がソフトウェア・AIに深く携わっていくことが、これまで以上に重要になります。ドメインの専門家が開発者と対立せずに密に協働することで、先端技術を活かした価値創造や課題解決を追い求めいくことができます。不確かさと変化の激しさが大きくなっているため、小さな単位から試していくことや、結果を見て改善し続けていくことが重要になるでしょう。

本書を読まれた皆さんも、ぜひソフトウェア・AIをつくり送り出していく、改善し続けていくということに対し、ご自身の立場から挑んでいただきたいと思います。

著者紹介

石川冬樹（いしかわ・ふゆき）

国立情報学研究所 アーキテクチャ科学研究系 准教授および、先端ソフトウェア工学・国際研究センター 副センター長。

ソフトウェア工学および自律・スマートシステムに関する研究教育に従事。近年では自動運転システムやAIシステムのディペンダビリティに関する研究として、品質マネジメント、自動テスト生成、不具合分析、自動修正などの技術開発を進めるとともに、産業界とのガイドライン執筆なども行っている。総合研究大学院大学 複合科学研究科 情報学専攻 准教授。電気通信大学 情報理工学研究科 連携准教授。AIプロダクト品質保証コンソーシアム副運営委員長。博士（東京大学、情報理工学）。

https://research.nii.ac.jp/~f-ishikawa/

情報研シリーズ 25

国立情報学研究所(https://www.nii.ac.jp)は，2000年に発足以来，情報学に関する総合的研究を推進しています。その研究内容を『丸善ライブラリー』の中で一般にもわかりやすく紹介していきます。このシリーズを通じて，読者の皆様が情報学をより身近に感じていただければ幸いです。

これからの「ソフトウェアづくり」との向き合い方
丸善ライブラリー391

令和 6 年 1 月 30 日　発　行

監修者　情報・システム研究機構　国立情報学研究所

著作者　石　川　冬　樹

発行者　池　田　和　博

発行所　丸善出版株式会社

〒101-0051　東京都千代田区神田神保町二丁目 17 番
編集：電話(03)3512-3266／FAX(03)3512-3272
営業：電話(03)3512-3256／FAX(03)3512-3270
https://www.maruzen-publishing.co.jp

組版／株式会社ホンマ電文社
印刷・製本　日経印刷株式会社

ISBN 978-4-621-05391-1　C0255　Printed in Japan